실력도 **탑!** 재미도 **탑!**

사고력 수학의 으뜸

B6

이 책의 목차

TOP 사고력 수학의 특징

TOP사고력 수학 A/B 시리즈 는 수학 경시 대회와 영재교육원을 대비하여 꼭 알아야 할 교과서 밖 수학 개념과 실전 문제로 학생을 최상위권으로 이끌어줄 교재입니다.
보통의 상위권 실전 문제집들이 주제별로 적은 수의 문제를 나열하는 구성이라면 TOP사고력 수학은 풍부한 개념과 여러 가지 문제해결의 원리를 캐릭터들과 함께 재미있게 살펴본 후, 유형별로 충분히 연습할 수 있도록 하였습니다. 더불어 “사고력 쑥쑥” 이라는 이름의 별도 구성을 두어 주제별 학습 이후에 다양한 문제를 해결하면서 주제별 다지기 학습을 할 수 있도록 했습니다.

수학적 “깜냥” 키우기

깜냥의 뜻 - 스스로 일을 헤아릴 수 있는 능력
TOP사고력 수학의 학습 목표는 처음 보는 문제를 만나더라도 문제가 요구하는 바를 정확하게 파악하고 스스로 해결할 수 있는 능력, 즉 수학적 깜냥을 키우는 것입니다. 그런 의미에서 이 책의 주인공은 깜냥에서 따온 깜이와 냥이라는 두 아이와 수학 선생님입니다. 다양한 실전 문제를 해결하기에 앞서서 개념과 원리를 깜이, 냥이와 선생님이 이야기하듯이 재미있게 알려 줍니다.

깜이 냥이 선생님

스토리텔링 수학!

스토리텔링의 본질은 이야기를 전달하는 것이 아니라 말하는 사람과 듣는 사람 간의 상호 작용을 통해서 듣는 사람이 스스로 생각하면서 이해할 수 있도록 하는 것입니다. TOP사고력 수학은 만화나 이야기를 매개체로 하여 내용을 전달하는 형식적인 스토리텔링이 아니라 아이에게 상황을 그림으로 보여주고 질문을 하고, 활동 자료로 직접 해 볼 수 있도록 하고, 게임을 하면서 연습할 수 있도록 하는 가장 효과적인 스토리텔링 수학입니다.

체계적 구성과 충분한 연습으로 사고력 쑥쑥!!

각 단원의 시작은 “생각열기”로 학생들이 공부할 주제에 대해 먼저 생각해 보도록 질문을 던지고, 다음 쪽에서 선생님의 설명이 이어집니다. 작은 주제별로도 상황에 맞는 개념과 원리를 충분히 알아본 후, “탐구 유형”에서 유형별로 문제를 다루어 보도록 하였습니다. 단원의 마지막인 “TOP 사고력” 에서는 실전 사고력 문제로 단원을 마무리하게 됩니다.
책의 뒷부분에는 각 단원의 복습 및 다지기를 할 수 있는 “사고력 쑥쑥”을 두어 충분한 연습으로 공부한 내용을 자기 것으로 만들 수 있도록 하였습니다.

예비 활동 가이드

TOP사고력 수학 A/B 시리즈는 실전에 강한 수학 공부를 목표로 하기 때문에 교구의 도움 없이 문제 해결을 하도록 하였습니다. 그 대신 주제에 따라 스스로 원리를 이해하고 문제를 해결하는데 도움이 되도록 예비 활동 가이드를 두어 필요에 따라 문제를 해결해 보기 전에 해 볼 수 있는 활동을 제시하였습니다.

저자 동영상 강의

정답지에서 글로 전달하기 힘든 교육 방법, 활용의 예, 개념의 확장 등의 동영상을 제공합니다. 동영상은 PC에서 볼 수도 있고, QR코드를 이용하여 모바일로 이용할 수도 있습니다.

TOP 사고력 수학 시리즈

- **영역별 나선형식 반복 학습 구조**
- **나이, 학년 단계별 수학의 각 영역 비중 차등**
- **경시, 영재교육원 등의 최신 문제 경향 반영**

유아 단계와 초등 단계의 학습 목표

- **K/P시리즈** - 초등 입학 전 알아야 할 필수적인 수학 개념을 익히면서 수감각, 공간지각력, 논리력, 문제 이해력 등 수학적 직관력을 키우기
- **A/B시리즈** - 초등 저학년을 대상으로 수학 경시, 영재교육원의 대비와 최상위권으로 이끌기

시리즈별 학습 단계

- **K시리즈** - 수학의 시작 단계(6~7세)
- **P시리즈** - 초등 입학 준비 단계(7~8세)
- **A시리즈** - 초등 1학년 과정을 마친 학생을 대상으로 한 심화 사고력(초1~초2)
- **B시리즈** - 초등 2학년 과정을 마친 학생을 대상으로 한 심화 사고력(초2~초3)

TOP 사고력 수학의 구성

생각열기

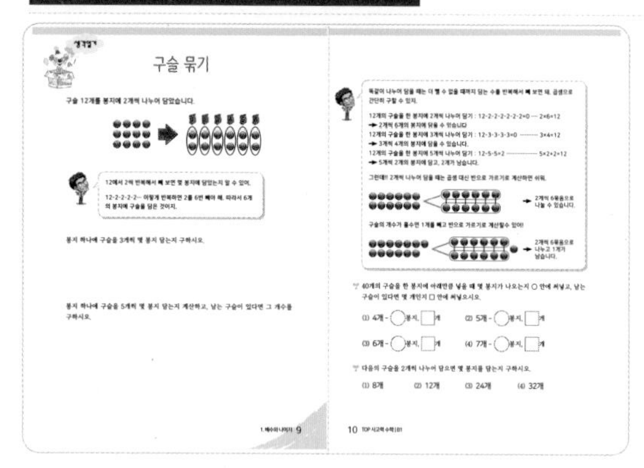

각 단원의 첫 페이지는 공부할 주제에 대한 발문의 역할을 하는 “생각열기”입니다.
재미있게 공부할 주제에 대한 호기심을 유발하고, 간단한 질문에 답하도록 합니다. 꼭 정답을 맞추기보다는 스스로 생각해 보는 것에 초점을 맞추도록 합니다.
스스로 먼저 생각하는 데 방해가 되지 않도록 질문에 대한 설명은 다음 쪽에 있습니다.

원리 탐구

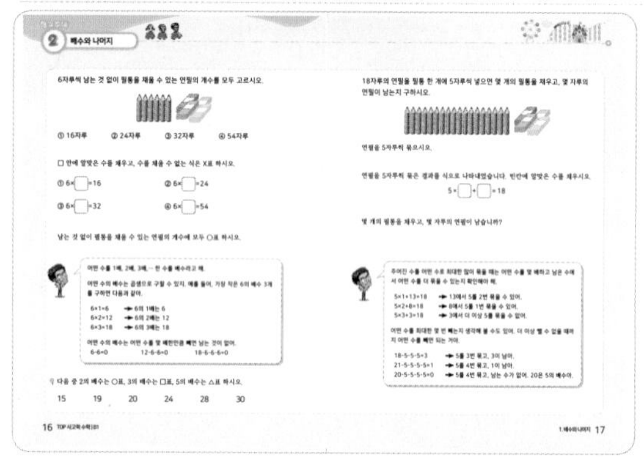

작은 주제별 개념과 문제해결의 원리를 알아보고, 확인 문제를 해결해 봅니다.

탐구 유형

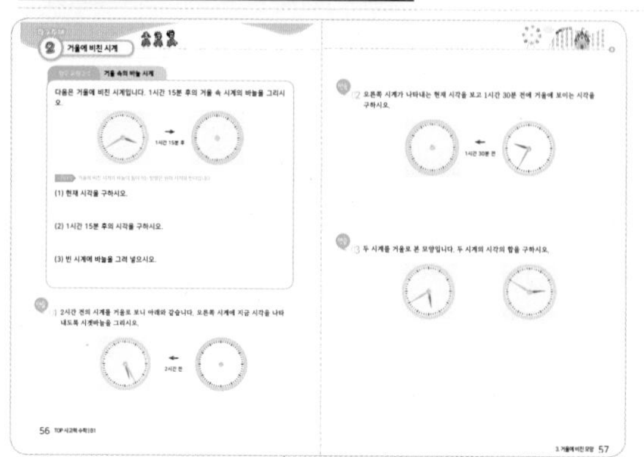

주제별로 여러 가지 유형별 문제를 공부합니다. 문제해결의 원리를 발견할 수 있도록 단계적으로 질문에 따라 문제를 풀어 봅니다.

TOP 사고력

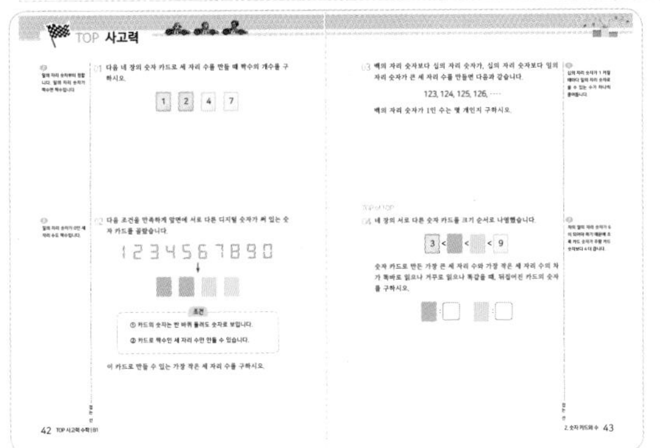

주제별 최고 난이도의 심화 문제를 공부합니다.

사고력 쑥쑥

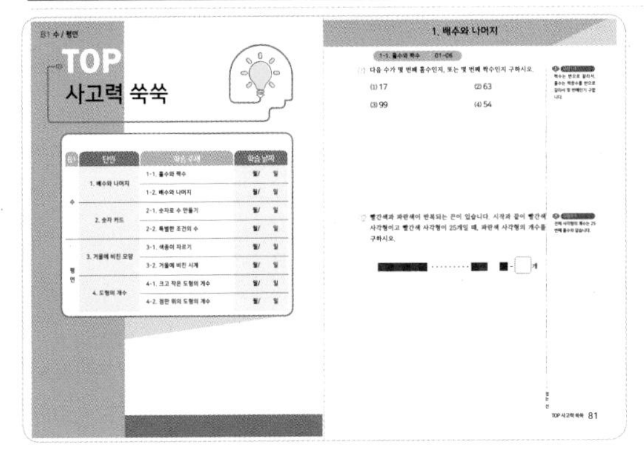

81쪽에서 112쪽까지 32쪽에 걸쳐서 앞에서 공부한 부분을 스스로 복습하고 다지기 하도록 합니다. 80쪽에는 작은 주제의 복습을 시작하는 날짜를 적어서 한 권을 마치는 동안 공부한 시간을 한 눈에 볼 수 있도록 했습니다.

예비 활동 가이드와 활동 자료

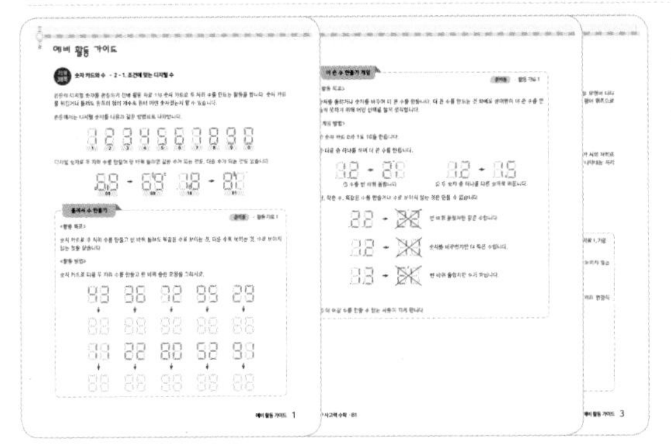

본문을 공부하기 전에 예비 활동을 소개하고 활동에 필요한 활동 자료가 들어 있습니다.

B 시리즈의 학습 내용

B1

연산	1. 곱셈
	2. 식 만들기
측정	3. 길이, 무게, 들이
	4. 시각, 날짜

B2

수	1. 배수와 나머지
	2. 숫자 카드와 수
평면	3. 거울에 비친 모양
	4. 도형의 개수

B3

논리	1. 논리 추론
	2. 경로와 위치
평면	3. 펜토미노 퍼즐
	4. 도형 움직이기

B4

연산	1. 저울산
	2. 여러 가지 배수 관계
입체	3. 쌓기나무 놀이
	4. 주사위

B5

규칙	1. 수의 규칙
	2. 모양 규칙
확률과 통계	3. 순서대로 나열하기
	4. 리그와 토너먼트

B6

문제 해결	1. 간격의 개수와 길이
	2. 거꾸로 해결하기
	3. 차 탐구
	4. 포함과 배제

동영상 강의를 활용해요.

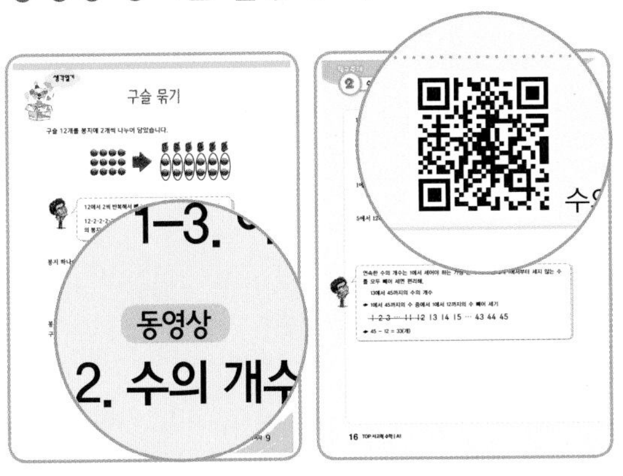

단원의 목차에는 동영상 이라는 표시가, 각 페이지의 윗부분에는 [QR] 모양이 있으면 동영상 강의가 있다는 뜻입니다.
동영상 강의에서는 문제를 해결하는 원리를 좀 더 쉽게 설명해 줍니다. 어려운 부분은 동영상 강의를 이용할 수 있습니다.

예비 활동을 활용해요.

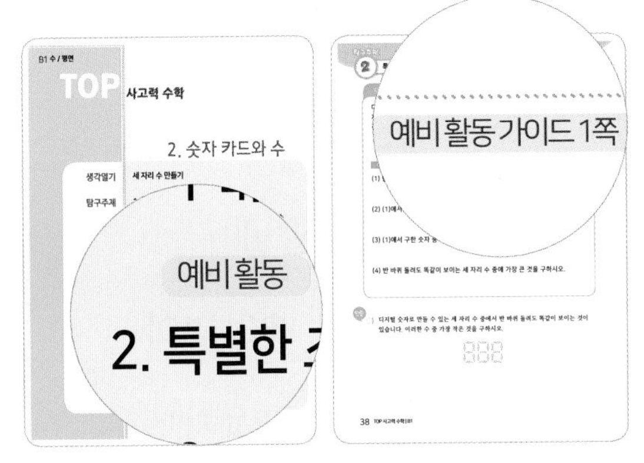

단원의 목차에는 예비활동 이라는 표시가, 각 페이지의 윗부분에는 예비활동가이드 1쪽 표시가 있으면 문제를 풀기 전에 해 보면 좋은 활동이 있다는 뜻입니다.
예비 활동 가이드와 활동 자료를 이용하여 활동이나 게임을 먼저 해 보고 나서 책의 문제를 풀어보면 좀 더 재미있고, 쉽게 문제를 해결할 수 있습니다.

접는 선을 따라 종이를 접고 문제를 풀어요.

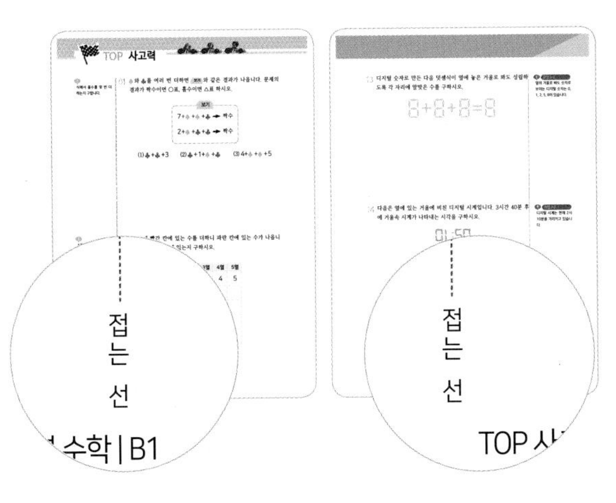

"TOP 사고력"과 "사고력 쑥쑥"에는 접는 선이 표시되어 있습니다. 접는 선 표시에 따라 종이를 접고 문제를 풀고, 어려운 경우 종이를 펼쳐서 도움글을 보고 해결해 봅니다.

TOP 사고력 수학

1. 간격의 개수와 길이

도막의 개수

나무 막대를 톱으로 잘라 여러 도막으로 나눕니다.

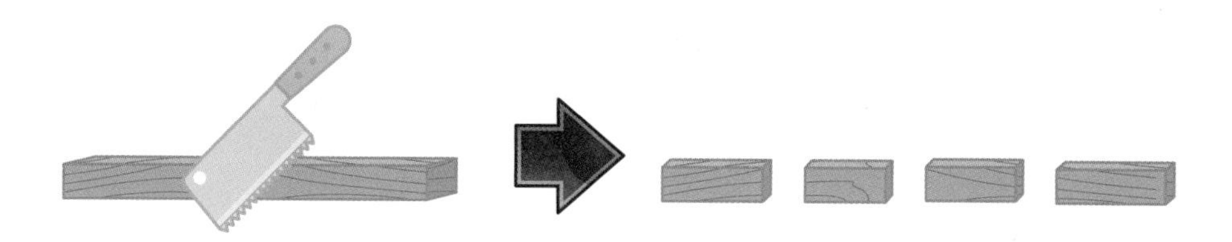

20개의 도막을 만들려면 톱질을 몇 번 해야 하는지 구하시오.

톱질을 한 번 할 때마다 도막이 몇 개씩 생길까?

톱질을 한 번 할 때마다 1개의 도막이 새로 생겨. 도막의 개수는 톱질 횟수보다 하나 더 많지.

톱질 0번 도막 1개 → 톱질 1번 도막 2개 → 톱질 2번 도막 3개 … 톱질 19번 도막 20개

톱질을 19번 하면 20개의 도막을 만들 수 있어.

긴 물건을 잘라서 나눌 때는 자르는 횟수와 도막의 개수를 혼동하지 않도록 주의해야 해.

길이가 10 cm인 사각형에 일정한 간격으로 선을 그리면 길이가 1 cm인 사각형 10개가 만들어집니다. 선을 몇 개 그리면 되는지 구하시오.

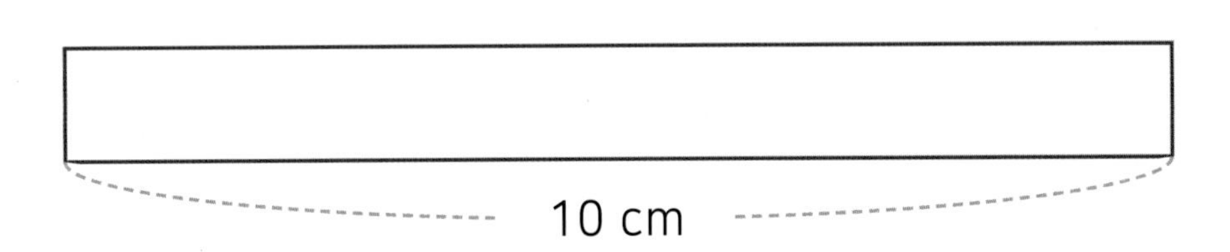

끈을 10번 자르면 몇 개의 도막이 생기는지 구하시오.

간격의 개수

일정한 간격으로 놓인 점 사이를 이어 선분을 그렸습니다.

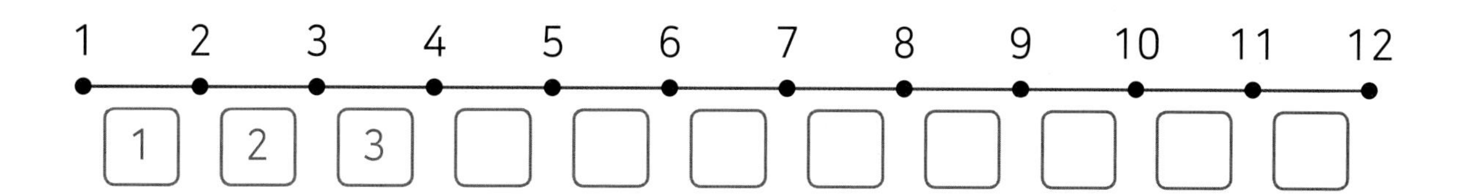

□ 안에 선분의 개수를 써넣으시오.

이웃한 점을 잇는 선분의 개수와 점의 개수를 비교하시오.

8개의 띠를 일정한 간격으로 겹쳐 붙였습니다. 처음 한 장의 띠에서 차례대로 한 장씩 붙일 때마다 늘어나는 겹쳐진 부분의 개수를 생각해 봅시다.

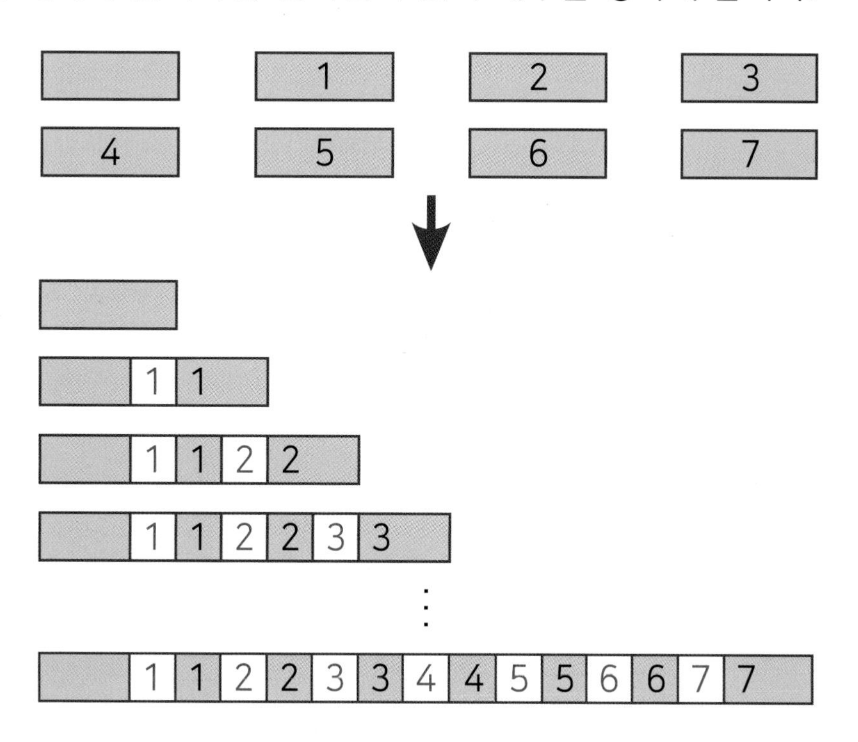

겹쳐진 부분의 개수와 띠의 개수를 비교하시오.

탐구주제 1 간격의 개수

탐구 유형 1-1 끈 자르기

둥글게 연결된 30 cm 길이의 끈을 6 cm씩 남김없이 자를 때, 몇 번 잘라야 하는지 구하시오.

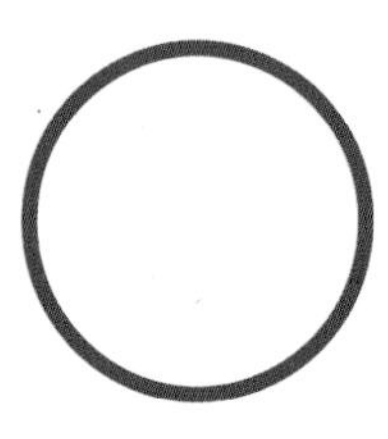

• Point 길이가 6 cm인 끈은 5개 만들어 집니다.

(1) 둥글게 연결된 끈을 한 번 잘라 아래와 같이 30 cm 길이의 끈 하나를 만들었습니다. 이 끈을 6 cm씩 남김없이 자를 때, 잘라야 하는 횟수를 구하시오.

30 cm

(2) 둥글게 연결된 끈을 몇 번 잘라야 하는지 구하시오.

연습 01 호수 길을 따라 한 바퀴 돌면 100 m입니다. 사람들이 호수 길을 따라 20m 간격으로 서 있습니다. 모두 몇 명의 사람이 서 있는지 구하시오.

탐구 유형 1-2 겹쳐 자르기

길이가 같은 종이띠 7개를 겹쳐서 4번 자르면 몇 조각이 되는지 구하시오.

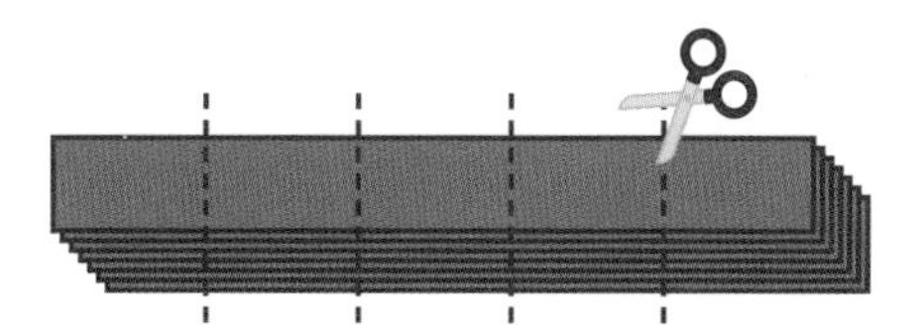

• Point 종이띠 1개를 자르면 생기는 조각의 개수를 먼저 구합니다.

(1) 종이띠 1개를 4번 자르면 몇 조각이 되는지 구하시오.

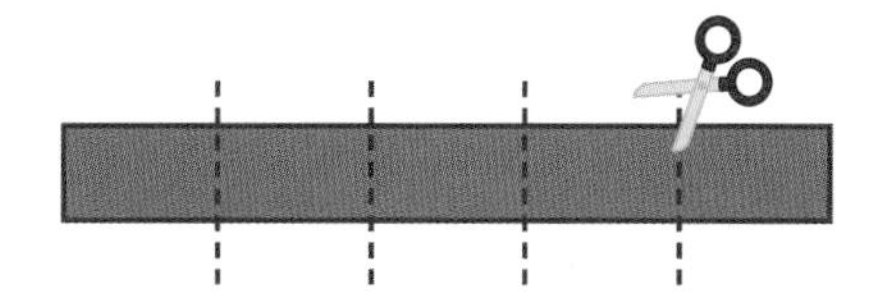

(2) 종이띠 7개를 겹쳐 4번 자르면 몇 조각이 되는지 구하시오.

연습 01 당근 4개를 겹친 후 5번 자르면 몇 조각이 되는지 구하시오.

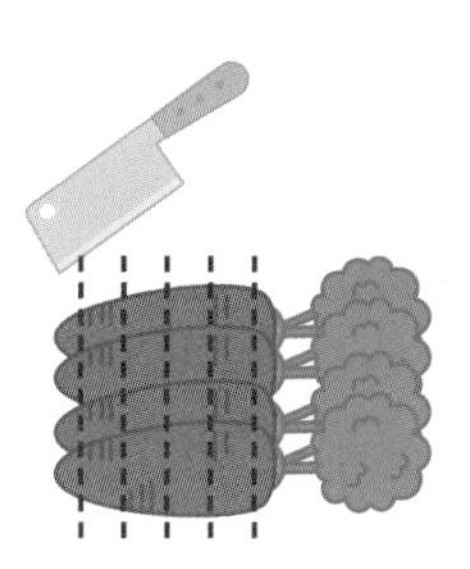

연습 02 그림의 한쪽 테두리가 겹치도록 네 귀퉁이에 압정을 박아 벽에 붙입니다.

이와 같은 방법으로 그림 8장을 붙였을 때 필요한 압정의 개수를 구하시오.

연습 03 가로가 20 cm, 세로가 15 cm인 사각형을 한 변이 5 cm인 정사각형으로 남김없이 자르려면 가로 방향으로 2번, 세로 방향으로 3번 모두 5번 잘라야 합니다.

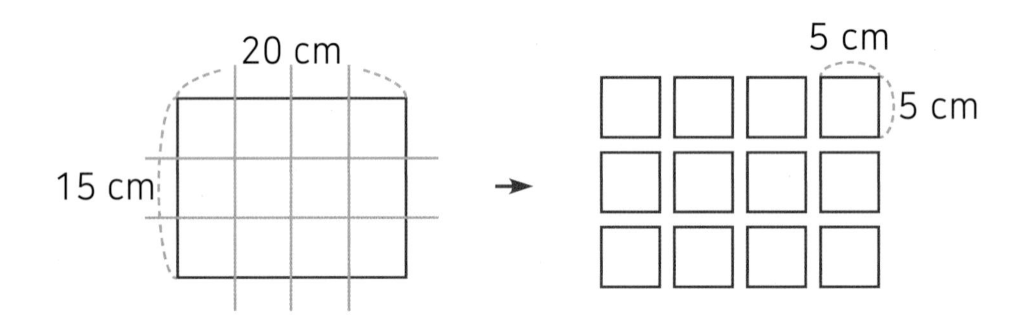

위와 같은 방법으로 가로 30 cm, 세로 20 cm인 사각형을 한 변이 5 cm인 정사각형으로 남김없이 자를 때, 모두 몇 번 잘라야 하는지 구하시오.

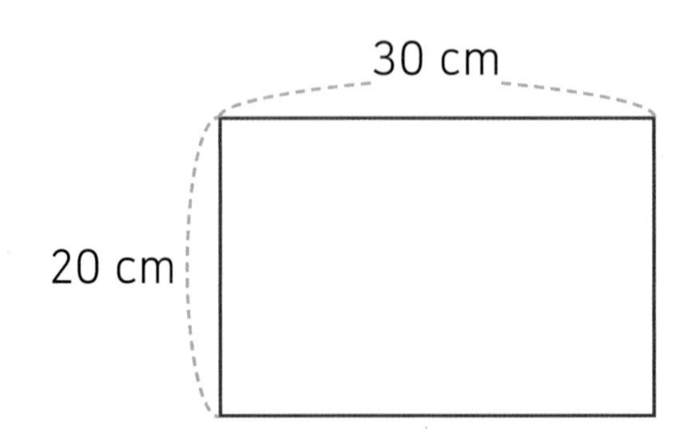

탐구 유형 1-3 **계단 오르기**

수빈이와 진수는 각자 일정한 빠르기로 계단을 오르는데 진수는 수빈이보다 2배 빠르게 계단을 오릅니다. 두 사람이 1층에서 동시에 출발하여 수빈이가 5층에 도착했을 때, 진수는 몇 층에 있는지 구하시오.

• Point 1층에서 한 층을 오르면 2층에 도착합니다.

(1) 수빈이가 1층에서 5층까지 올라가는데 몇 층을 올라가야 하는지 구하시오.

(2) 수빈이가 (1)에서 구한 만큼 오르는 동안 진수는 몇 층을 올라갈 수 있는지 구하시오.

(3) 수빈이가 5층에 있을 때 진수는 몇 층에 있는지 구하시오.

연습 01 이웃하는 검은색 점 사이의 거리는 빨간색 점 사이의 거리보다 2배 깁니다. 검은색 점의 개수가 10개일 때, 빨간색 점의 개수를 구하시오. 단, 양 끝 점 사이의 길이는 같습니다.

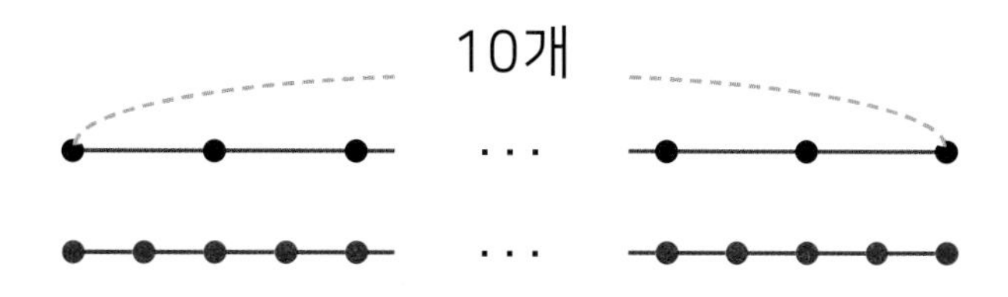

연습 02 산책길의 한 쪽에 처음부터 끝까지 일정한 간격으로 9송이의 꽃을 심고, 나무는 꽃과 꽃 사이 간격의 2배만큼 간격을 두어 처음부터 끝까지 일정한 간격으로 심었습니다. 나무를 몇 그루 심었는지 구하시오.

연습 03 개울을 건널 수 있게 큰 돌 6개를 일정한 간격으로 놓고, 큰 돌과 큰 돌 사이에 작은 돌을 2개씩 일정한 간격으로 놓았습니다. 한 걸음에 돌을 하나씩 건널 때 개울을 건너려면 몇 걸음을 걸어야 하는지 구하시오.

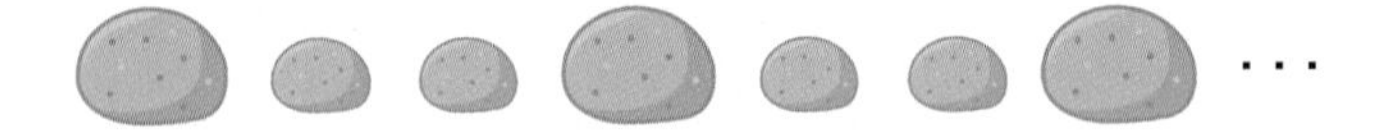

2 간격과 길이

탐구 유형 2-1 한 줄로 놓은 길이

강당에 폭이 150 cm인 탁자 4개를 50 cm 간격으로 한 줄로 놓았습니다. 탁자를 한 줄로 놓은 길이를 ☐ 안에 써넣으시오.

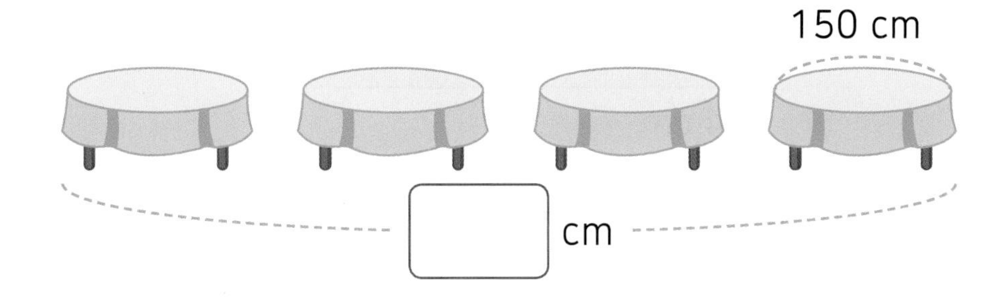

Point 간격의 개수를 이용하여 간격의 길이의 합을 구합니다.

(1) 탁자와 탁자 사이의 간격의 개수를 구하시오.

(2) 간격의 길이의 합을 구하시오.

(3) 탁자 4개의 길이의 합을 구하시오.

(4) 탁자를 한 줄로 놓은 길이를 구하시오.

연습

01 어느 대학교의 수업은 오전 9시에 1교시가 시작하는데 수업 시간은 1시간이고 쉬는 시간은 10분입니다. 이 대학교의 4교시 수업이 끝나는 시각을 구하시오. 단, 점심시간은 따로 없습니다.

간격과 길이

연습

02 길이가 4 cm인 띠 10개를 1 cm씩 겹쳐 한 줄로 붙였습니다. 띠 전체의 길이를 구하시오.

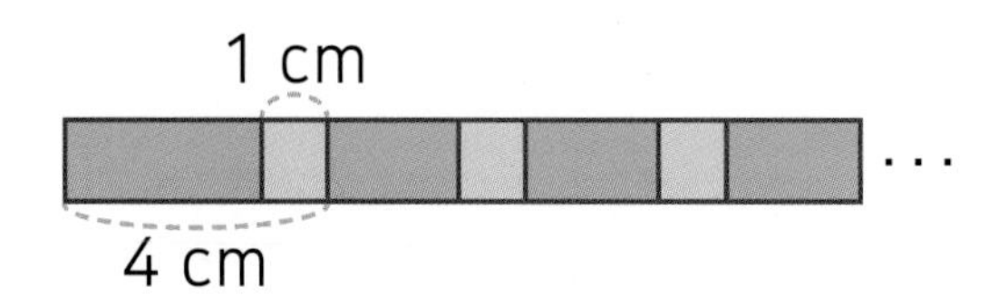

연습

03 건물의 한 층을 청소하는데 5분이 걸리고 다음 층을 청소하기 전에 3분을 쉽니다. 이와 같은 방법으로 1층부터 10층까지 청소하는데 걸리는 시간을 구하시오. 단, 다음 층으로 올라가는데 걸리는 시간은 포함하지 않습니다.

연습

04 직선 코스의 산책로 한쪽에 처음부터 끝까지 50 cm 간격으로 길이가 1 m 50 cm인 긴 의자 몇 개를 놓았습니다. 산책로의 길이가 11 m 50 cm일 때 산책로에 놓은 의자의 개수를 구하시오.

탐구 유형 2-2 한 줄로 블록 쌓기

길이가 10 cm인 ㄷ자 모양의 블록 7개를 다음과 같은 방법으로 연결할 때 양 끝 사이의 길이를 구하시오.

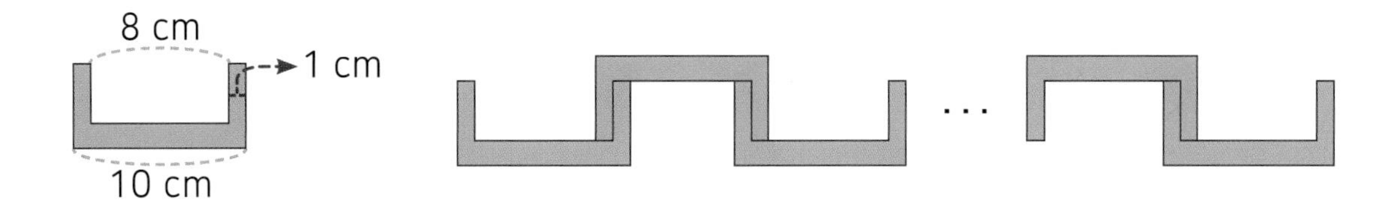

Point 블록 하나를 더 놓을 때마다 길이가 몇 cm 길어지는지 구합니다.

(1) 블록을 다음과 같이 놓을 때의 길이를 구하시오.

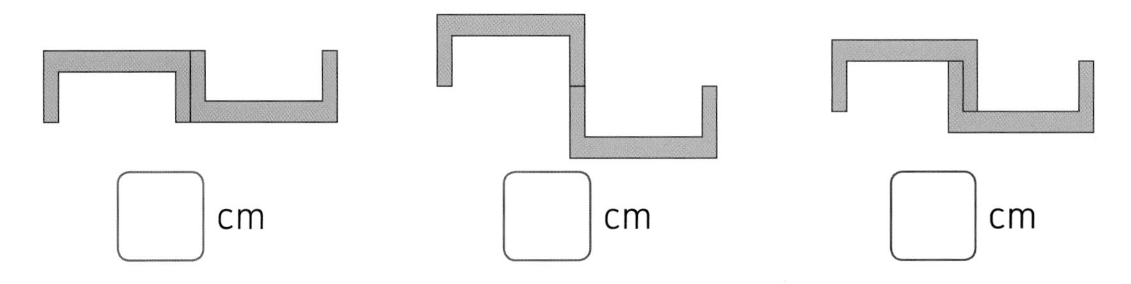

(2) 블록을 연결한 모양의 양 끝 사이의 길이를 구하시오.

연습

01 가로 길이가 눈금 4칸의 길이와 같은 ㄷ자 모양의 블록 6개를 다음과 같은 방법으로 연결할 때 양 끝 사이의 길이는 몇 칸으로 표현할 수 있는지 구하시오.

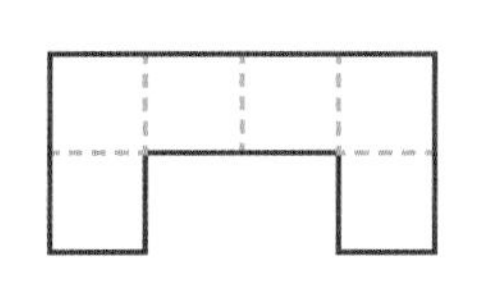

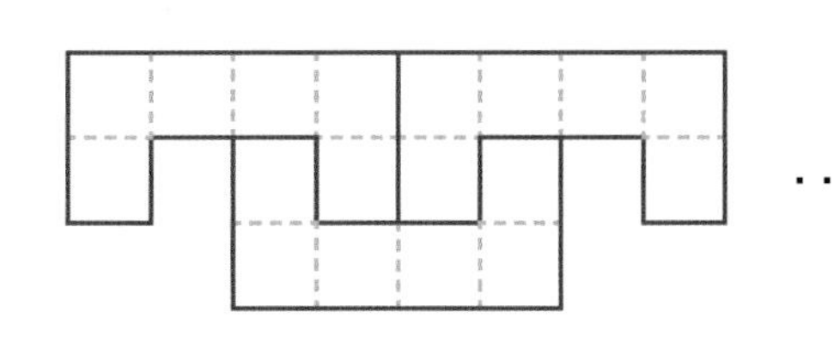

연습 02 그림과 같은 방법으로 9개의 고리를 팽팽하게 연결했을 때, 양 끝 사이의 길이를 구하시오.

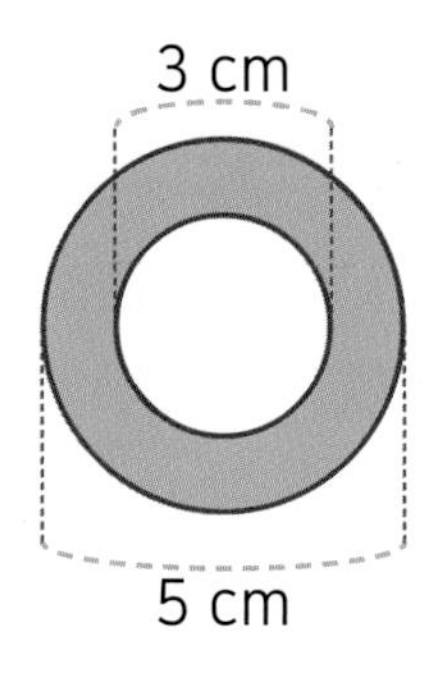

연습 03 길이가 10 cm인 블록을 다음과 같은 방법으로 연결하면 전체 길이가 66 cm가 됩니다. 연결한 블록의 개수를 구하시오.

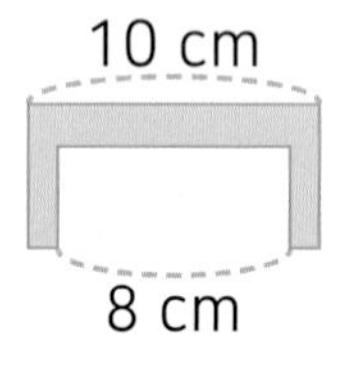

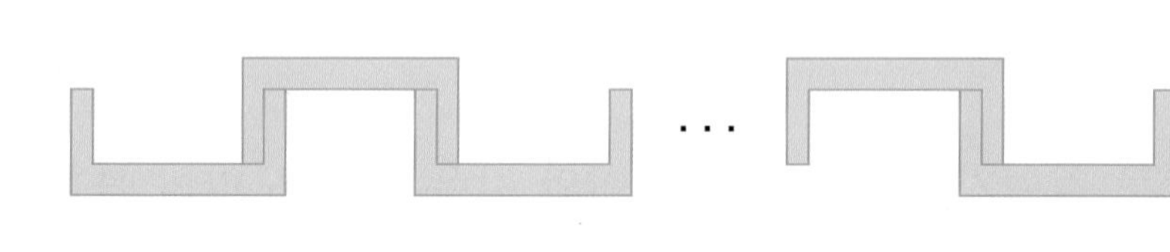

탐구 유형 2-3 색종이의 둘레

가로, 세로 길이가 10 cm인 색종이 4장을 다음과 같이 3 cm씩 겹쳐지게 붙입니다.

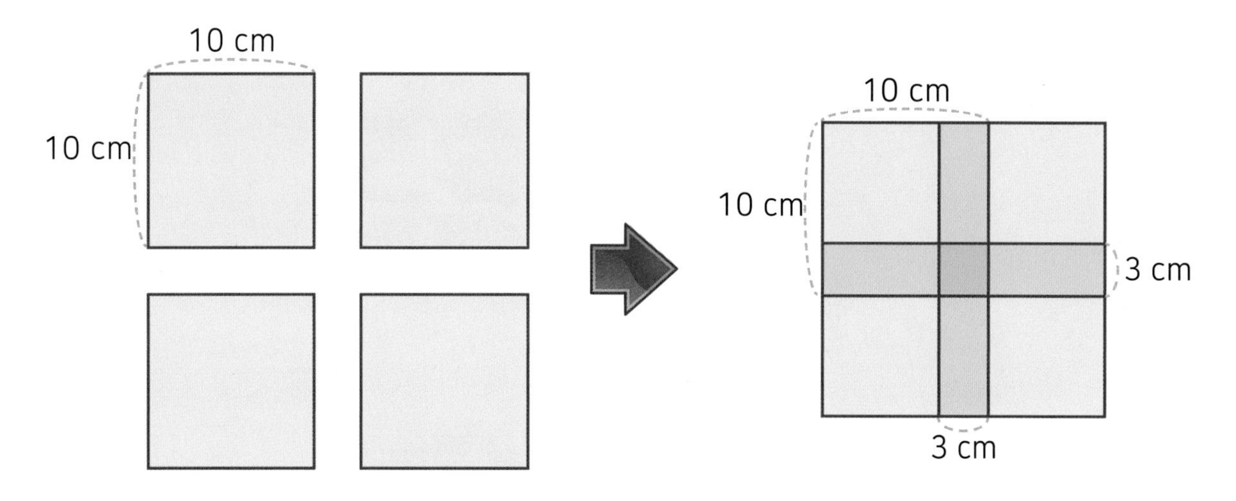

이와 같은 방법으로 색종이를 가로 방향으로 4줄, 세로 방향으로 5줄 붙여 만들어진 큰 사각형의 둘레의 길이를 구하시오.

Point 색종이를 한 줄 더 붙일 때마다 늘어나는 길이를 먼저 구합니다.

(1) 가로, 세로 방향으로 색종이를 한 줄 더 붙일 때 가로, 세로 길이가 몇 cm 늘어나는지 구하시오.

가로 길이: ☐ cm 세로 길이: ☐ cm

(2) 큰 사각형의 가로, 세로 길이를 각각 구하시오.

가로 길이: ☐ cm 세로 길이: ☐ cm

(3) 큰 사각형의 둘레의 길이를 구하시오.

2 간격과 길이

연습 01 가로와 세로의 길이가 50 cm인 상자를 양옆, 위아래 모두 50 cm의 간격으로 놓으려고 합니다.

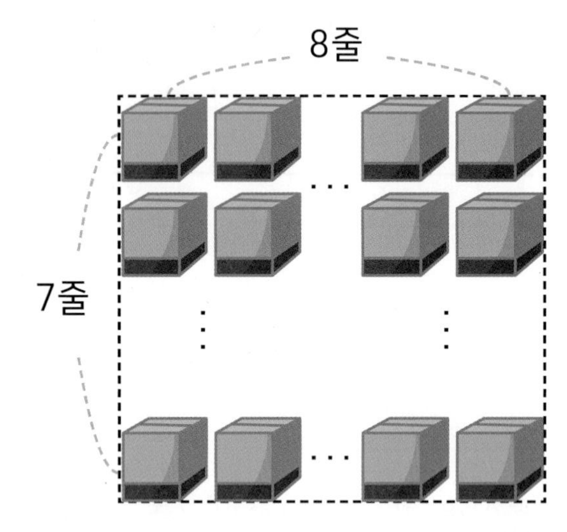

이와 같은 방법으로 상자를 가로 방향으로 8줄, 세로 방향으로 7줄을 놓으니 사각형 모양의 땅이 가득 찹니다. 땅의 둘레를 구하시오.

연습 02 한 변의 길이가 105 m인 땅에 모든 도로의 폭은 일정하고 초록색 꽃밭의 가로, 세로의 길이가 20 m일 때 도로의 폭의 길이를 구하시오.

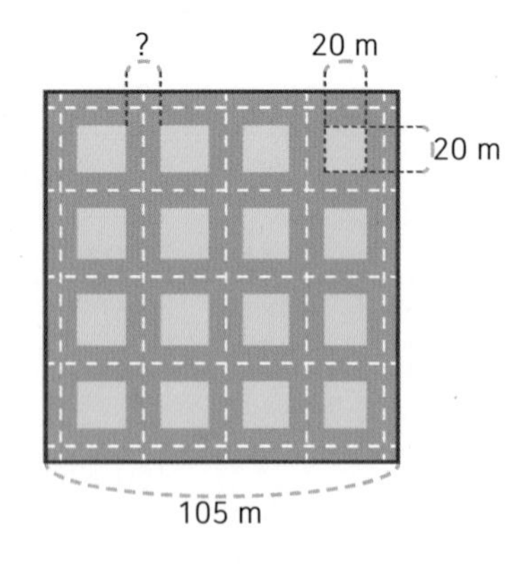

탐구 유형 2-4 열기구의 높이

열기구에 불을 한 번 붙이면 60 m 올라가고 불이 꺼지면 다시 불을 붙일 때까지 20 m 내려갑니다. 땅에서부터 180 m인 곳까지 올라가려면 불을 몇 번 붙여야 하는지 구하시오.

Point 간격의 개수를 이용하여 간격의 길이의 합을 구합니다.

(1) 열기구가 움직인 거리를 수직선으로 나타냈습니다. 불을 붙일 때마다 이동한 거리를 화살표로 표시하시오.

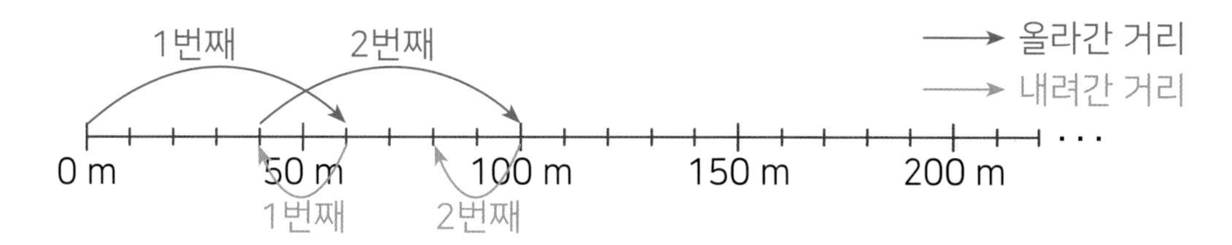

(2) 표의 빈 칸에 수를 써넣고 불을 한 번 붙일 때마다 열기구의 최대 높이는 몇 m씩 높아지는지 구하시오.

횟수	1	2	3	4	5	· · ·
최대 높이(m)	60					· · ·

(3) 180 m인 곳까지 올라가려면 불을 몇 번 붙여야 하는지 구하시오.

연습

01 처음 심었을 때 1 cm였던 풀이 하루에 5 cm씩 자라고 그 풀을 매일 저녁에 3 cm씩 자릅니다. 처음으로 15 cm보다 길어질 때는 몇 번째 날인지 구하시오.

TOP 사고력

색종이를 같은 방향으로 4번 접으면 나누어진 부분의 개수는 2를 연속해서 4번 곱한 값과 같습니다.

01 색종이를 다음과 같이 반으로 계속 접으면 접은 선을 따라 나누어지는 부분이 2배씩 늘어납니다.

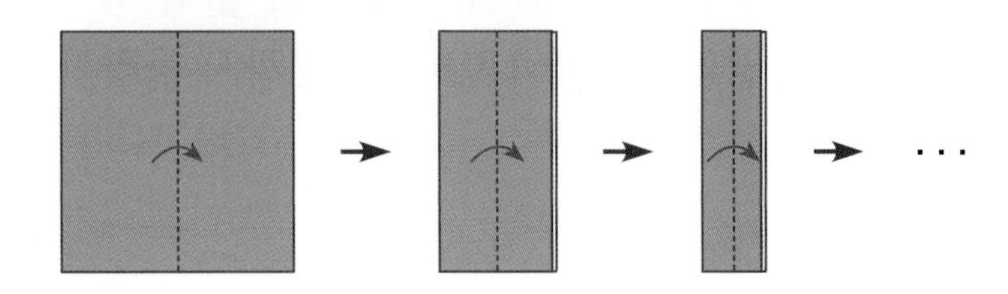

색종이를 가로 방향으로 4번 접었을 때, 접은 선의 개수를 구하시오.

쌓기나무를 3조각으로 나누려면 2번 자르면 됩니다.

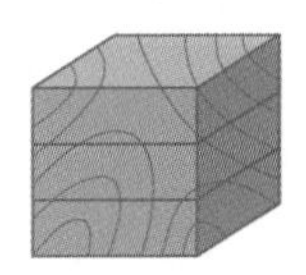

02 큰 쌓기나무를 3번 자르니 다음과 같이 작은 쌓기나무 8개가 생겼습니다.

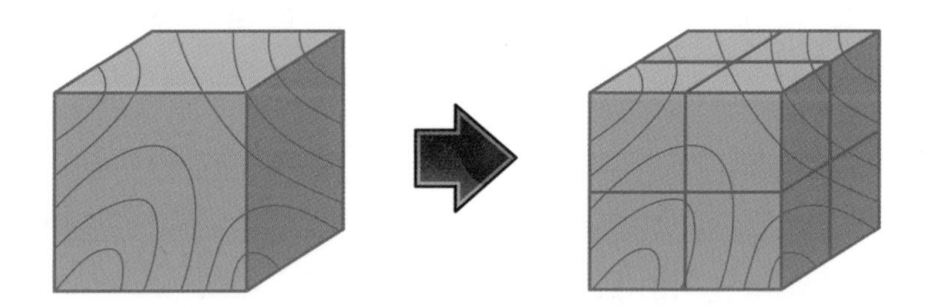

몇 번을 자르면 아래와 같은 모양이 되는지 구하시오.

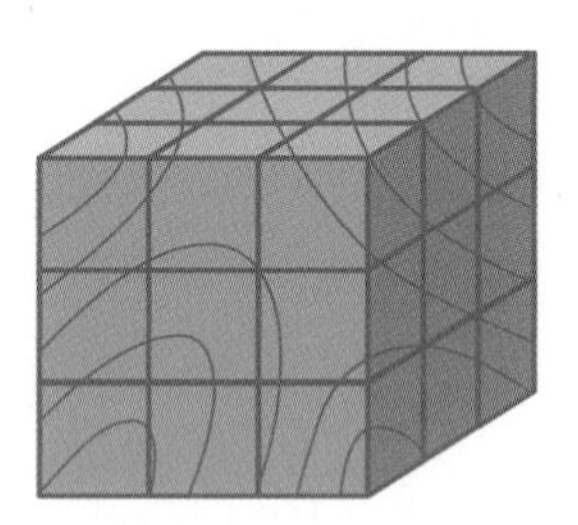

접는 선

03 ◯모양 사이에 ✧모양을 다음과 같은 방법으로 채웁니다.

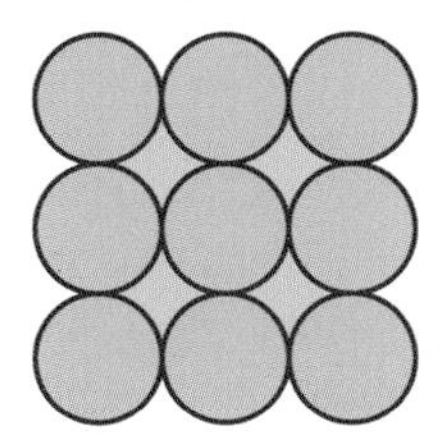

같은 방법으로 ✧모양을 채우니 ✧모양이 가로 방향으로 7줄, 세로 방향으로 8줄 나옵니다. 이때 ◯모양의 개수를 구하시오.

> ❗ ✧모양과 비교했을 때 ◯모양은 가로 줄, 세로 줄 모두 1개씩 더 있어야 합니다.

TOP of TOP

04 각자 빠르기는 일정하지만 수진이는 우빈이보다 2배 빠르게 달립니다.

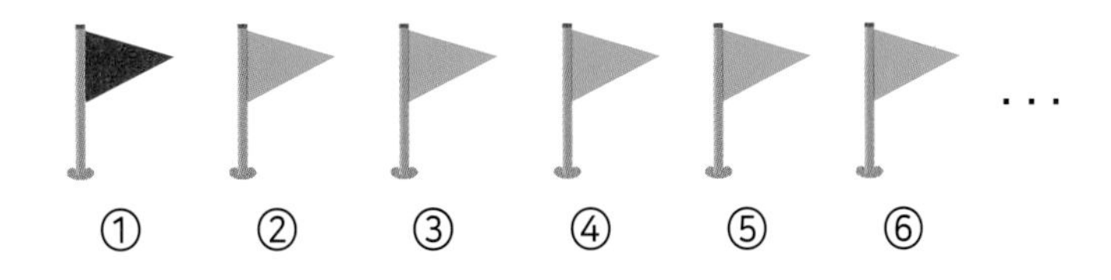

두 사람이 ①번 깃발에서 동시에 출발했는데 우빈이는 ⑥번 깃발까지 갔다가 ①번 깃발로 돌아왔습니다. 수진이는 계속 오른쪽으로 갔다면 우빈이가 ①번 깃발에 도착했을 때 수진이는 몇 번 깃발에 도착했을지 구하시오.

> ❗ 우빈이가 ⑥번 깃발까지 가는 동안 깃발 5개를 지나게 됩니다. 똑같은 시간 동안 수진이는 그 두 배의 깃발을 지납니다.

접는 선

TOP 사고력 수학

2. 거꾸로 해결하기

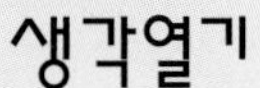

버스 승객의 수

승객들을 태운 버스가 정류장을 지나갑니다. 정류장을 지날 때마다 승객들이 내리고 탑니다.

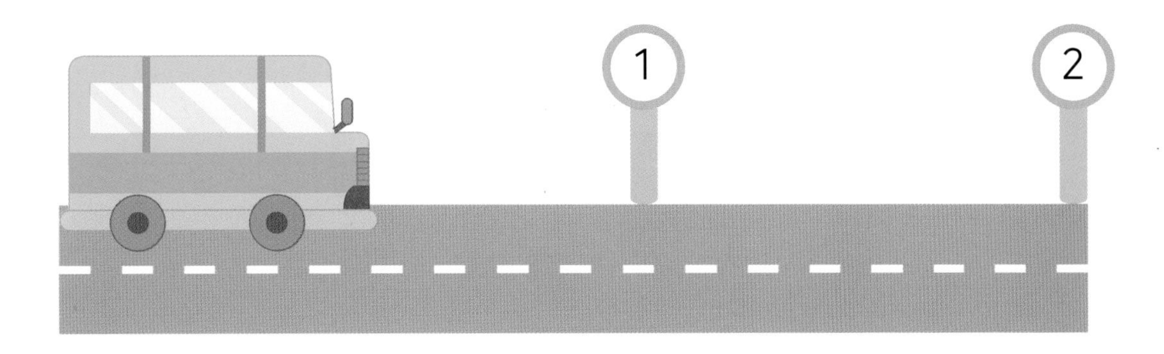

1번 정류장에서 5명이 내리고 7명이 탔습니다. 곧이어 2번 정류장에서 10명이 내리고 3명이 탔더니, 남은 승객은 모두 10명이었습니다. 1번 정류장을 지나기 전에 버스에 타고 있던 승객은 모두 몇 명인지 구하시오.

버스에 타고 있는 승객 수의 변화를 덧셈과 뺄셈으로 다음과 같이 나타낼 수 있어. 5명이 내리고 7명이 타면 결국 2명이 탄 것과 같아.

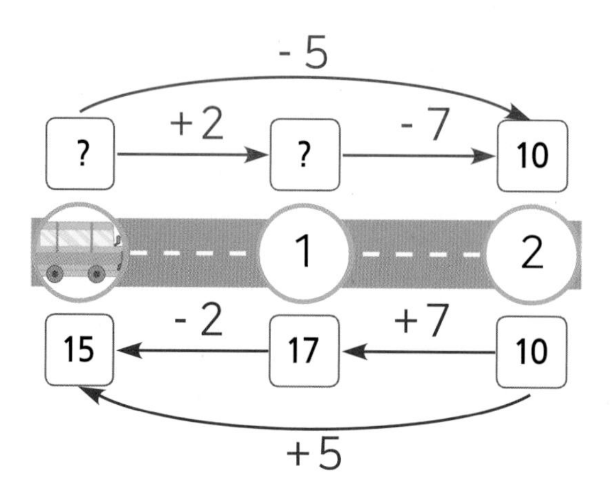

오른쪽부터 거꾸로 생각하여 더하기는 빼기로, 빼기는 더하기로 계산하면 1번 정류장을 지나기 전에 15명이 버스에 타고 있었다는 것을 알 수 있어!

어떤 수에 5를 더한 후 3을 빼고 8을 더하고 3을 뺐더니 20이 되었습니다. 어떤 수를 구하시오.

깜이가 처음에 있던 곳에서 오른쪽으로 7칸, 왼쪽으로 4칸, 오른쪽으로 2칸을 가니 7번 칸에 도착했습니다. 깜이가 처음에 있던 칸을 찾아 ○표 하시오.

1	2	3	4	5	6		8	9	10	11	12

1 거꾸로 계산하기

탐구 유형 1-1 바르게 계산한 값

어떤 수 □에 2배 하고 3을 더해야 할 것을 잘못하여 3을 빼고 반으로 나누니 6이 되었습니다. 바르게 계산한 값을 구하시오.

Point 2배를 거꾸로 하면 반으로 나누는 것이고, 반으로 나누는 것을 거꾸로 하면 2배 하는 것입니다.

(1) 어떤 수 □에서 3을 빼고 반으로 나누면 6입니다. □를 구하시오.

(2) 어떤 수 □에 2배하고 3을 더한 값을 구하시오.

연습 01 상자 안의 구슬을 5개 꺼내고 8개 넣어야 할 것을 잘못해서 5개 넣고 8개 꺼내니 상자 안의 구슬이 15개가 되었습니다. 처음에 생각했던 대로 구슬을 꺼내고 넣었다면 상자 안의 구슬이 몇 개가 되는지 구하시오.

연습 02 현재 시각에 40분을 빼고 1시간 20분을 더하면 버스가 도착하는 시각이 되고 현재 시각에 40분을 더하고 1시간 20분을 빼면 오전 11시가 됩니다. 버스가 도착하는 시각을 구하시오.

거꾸로 계산하기

연습 03 초록색 상자와 주황색 상자에 수를 넣으면 일정한 규칙으로 수가 변합니다.

1 → [상자] → 6 → [상자] → 16

18 → [상자] → 8 → [상자] → 3

노란색 상자
: 2를 더한 후 2배합니다.

초록색 상자
: 2를 뺀 후 반으로 나눕니다.

어떤 수 ▢를 초록색 상자, 노란색 상자 순으로 넣어야 할 것을 잘못하여 노란색 상자, 초록색 상자 순으로 넣었더니 5가 되었습니다. 어떤 수 ▢를 상자에 바르게 넣었을 때 나오는 값을 구하시오.

▢ → [상자] → ▢ → [상자] → 5

▢ → [상자] → ▢ → [상자] → ▢

연습 04 어떤 통장은 10년마다 통장에 있던 금액이 2배가 된 후 100원이 더해집니다.

200원 →(10년) 500원 →(10년) 1100원 →(10년) 2300원

20년 전에 이 통장에 돈을 넣었는데 현재 통장에 있는 금액이 4300원입니다. 처음에 통장에 넣었던 금액을 구하시오. 단, 중간에 돈을 더 넣거나 빼는 경우는 없습니다.

탐구 유형 1-2 **숫자로 수 만들기**

한 자리 수가 나올 때까지 십의 자리와 일의 자리 숫자를 계속 곱합니다.

$$53 \xrightarrow{5\times3} 15 \xrightarrow{1\times5} 5$$

☐ 안에 들어갈 수 있는 두 자리 수를 모두 구하시오.

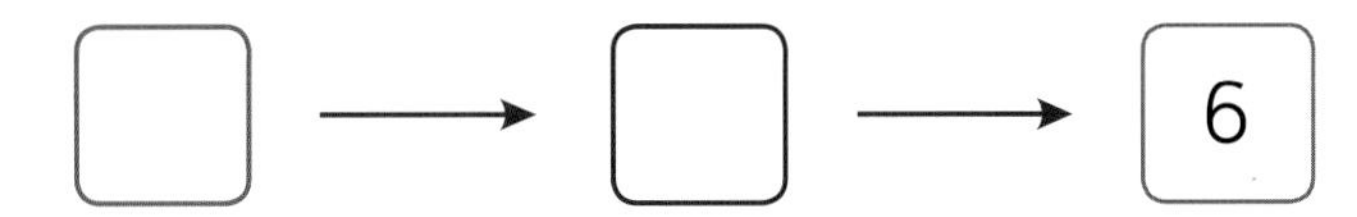

Point 어떤 두 자리 수의 십의 자리와 일의 자리 숫자를 곱해서 11, 13, ⋯ 과 같은 수는 나올 수 없습니다.

(1) ☐ 안에 들어갈 수 있는 두 자리 수를 모두 구하시오.

(2) ☐ 안에 들어갈 수 있는 두 자리 수를 모두 구하시오.

01 십의 자리와 일의 자리 숫자를 더한 값에 10을 더하는 것을 반복합니다.

$$85 \rightarrow 23 \rightarrow 15$$

☐ 안에 들어갈 수 있는 두 자리 수의 개수를 구하시오.

☐ → ☐ → 12

1 거꾸로 계산하기

연습 **02** 십의 자리와 일의 자리 숫자를 더한 후 2배 하는 것을 반복합니다.

56 → 22 → 8

□ 안에 들어갈 수 있는 두 자리 수의 개수를 구하시오.

연습 **03** 십의 자리와 일의 자리 숫자를 곱한 후 반으로 나누는 것을 반복합니다.

46 → 12 → 1

□ 안에 들어갈 수 있는 두 자리 수를 모두 구하시오.

□ → □ → 2

2 그려서 찾기

탐구 유형 2-1 과자의 개수

상자 3개를 열어 보니 각각의 상자에 같은 개수의 과자가 들어 있었습니다. 첫 번째 상자의 과자를 다 먹고 두 번째 상자의 과자 중 3개를 먹고 남은 과자를 세어보니 모두 5개가 남아 있었습니다. 처음에 있던 과자의 개수를 구하시오.

Point 상자 2개에 들어있는 과자의 개수를 먼저 구합니다.

(1) 과자의 개수를 그림으로 나타냈습니다. 상자 2개에 들어 있는 과자의 개수를 구하시오.

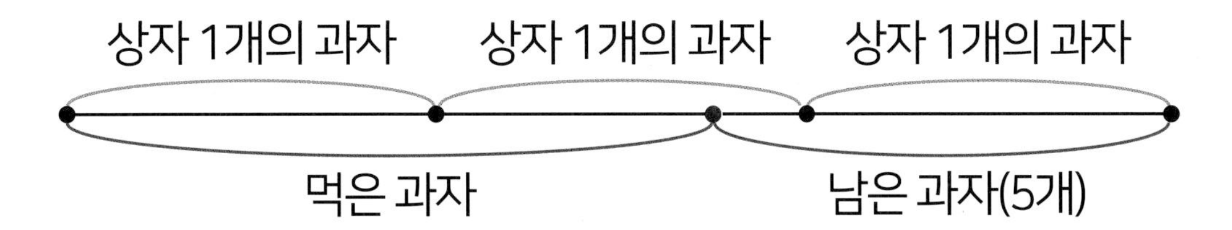

(2) 상자 1개에 들어 있는 과자의 개수를 구하시오.

(3) 처음에 있던 과자는 몇 개인지 구하시오.

연습

01 군고구마를 절반보다 3개 적게 먹으니 8개가 남았습니다. 처음에 있던 군고구마의 개수를 구하시오.

연습 02 목장에 울타리 4개를 세우고 양을 키웁니다. 울타리 하나에 들어 있는 양의 수는 서로 같습니다.

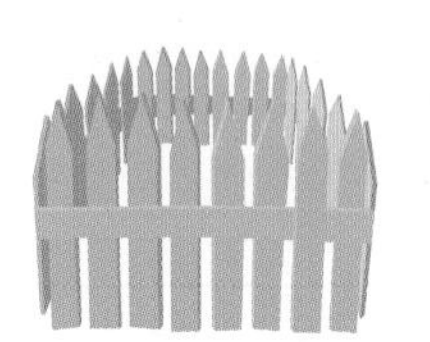 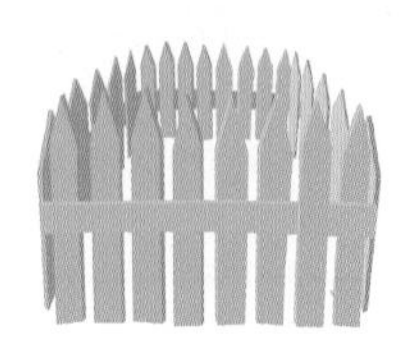 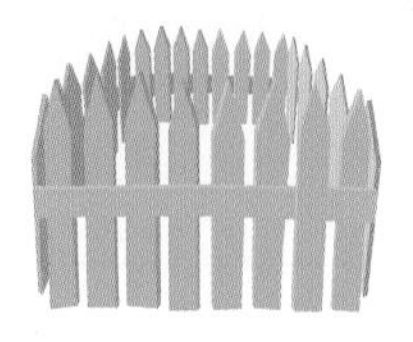 

울타리 중 한 개가 망가져서 그 안에 있던 양 2 마리만 남고 모두 도망갔습니다. 목장에 남은 양이 23마리일 때, 처음에 있던 양은 몇 마리인지 구하시오.

연습 03 물병 5개가 있는데 그중 2개에 들어 있는 양보다 100 mL 적게 마시니 물 1600 mL가 남았습니다. 물병 1개에 들어 있는 물의 양이 서로 같을 때, 처음에 있던 물의 양을 구하시오.

물통 채우기

탐구 유형 2-2 **물통 채우기**

물 24 L를 물통 두 개에 나누어 담았는데 물의 양이 같지 않아 다음과 같이 물을 옮겨 담았습니다.

① 왼쪽 물통에 든 물의 양만큼 오른쪽에서 왼쪽으로 옮겼습니다.
② 오른쪽 물통에 든 물의 양만큼 왼쪽에서 오른쪽으로 옮겼습니다.

위와 같이 물을 옮겨 담았더니 두 물통의 물의 양이 12 L로 같아졌습니다. 처음 왼쪽, 오른쪽 물통에 들어 있던 물의 양을 구하시오.

	왼쪽 물통	오른쪽 물통
물을 옮기기 전		
①번 방법대로 옮긴 후	㉠	㉡
②번 방법대로 옮긴 후	12 L	12 L

Point ②번 방법대로 옮기기 전 오른쪽 물통에 들어 있던 물의 양을 생각해 봅시다.

(1) ②번 방법대로 옮기기 전 오른쪽 물통에 몇 L의 물이 들어 있었을지 생각하여 표의 ㉠, ㉡에 알맞은 수를 써넣으시오.

(2) 처음 두 물통에 들어 있던 물의 양을 구하시오.

왼쪽 물통: ☐ L　　　　오른쪽 물통: ☐ L

연습 01 사탕 30개를 리아, 지수가 나누어 가졌는데 서로 받은 사탕의 개수가 같지 않아 다음과 같이 사탕을 주고 받았습니다.

① 지수가 가진 사탕 개수만큼 리아가 지수에게 사탕을 주었습니다.
② 지수가 리아에게 사탕 1개를 주었습니다.

	리아	지수
사탕을 옮기기 전		
①번 방법대로 옮긴 후		
②번 방법대로 옮긴 후	15개	15개

위와 같이 주고 받으니 15개씩 갖게 되었습니다. 지수가 처음에 가지고 있던 사탕의 개수를 구하시오.

연습 02 세 사람이 다음과 같은 방법으로 구슬을 주고 받으니 가람이가 12개, 나영이가 14개, 다정이가 16개의 구슬을 가지게 되었습니다. 가람이가 처음에 가지고 있던 구슬의 개수를 구하시오.

① 가람이가 두 사람에게 구슬을 2개씩 받았습니다.
② 나영이가 두 사람에게 구슬을 3개씩 주었습니다.
③ 다정이가 가람이에게 구슬을 2개 주었습니다.

	가람	나영	다정
구슬을 옮기기 전			
①번 방법대로 옮긴 후			
②번 방법대로 옮긴 후			
③번 방법대로 옮긴 후	12개	14개	16개

연습 03 건우가 가진 과자만큼 현슬이가 건우에게 과자를 주었고, 다시 건우가 현슬이에게 현슬이가 가진 과자의 절반만큼 주었더니 둘이 가진 과자의 개수가 6개로 같아졌습니다. 처음에 건우가 가지고 있던 과자의 개수를 구하시오.

	현슬	건우
과자를 주기 전		
현슬이가 과자를 준 후		
건우가 과자를 준 후	6개	6개

연습 04 정민이가 민호에게 민호가 가진 연필 개수만큼 연필을 주려고 했는데 실수로 자신이 가지고 있는 연필의 절반을 주었더니 민호가 12개, 정민이가 8개의 연필을 가지게 되었습니다. 실수하지 않고 연필을 주었을 때, 정민이가 가지게 되는 연필의 개수를 구하시오.

탐구주제

3 거꾸로 전략 찾기

깜이와 냥이가 다음과 같은 규칙으로 구슬 가져가기 게임을 합니다.

· 한 번에 1개 또는 2개의 구슬을 가져갑니다.
· 두 사람이 한 번씩 번갈아가며 구슬을 가져갑니다.
· 마지막 구슬을 가져가면 이깁니다.

3개의 구슬이 남았고 깜이가 구슬을 가져갈 차례입니다. 깜이가 구슬을 가져간 후 남는 구슬의 개수로 가능한 것을 모두 구하고 누가 이기게 될지 구하시오.

남는 구슬: ☐ 개　　　승자: ☐

냥이가 구슬을 가져갈 차례입니다. 구슬이 4개 남은 경우, 5개 남은 경우 냥이가 반드시 이기기 위해서 구슬 몇 개를 가져가야 하는지 각각 구하시오.

4개 남은 경우: ☐ 개　　　5개 남은 경우: ☐ 개

구슬 8개를 놓고 냥이가 먼저 게임을 시작합니다. 냥이가 반드시 이기기 위해서 처음에 구슬 몇 개를 가져가야 하는지 구하시오.

상대방이 1개나 2개를 남길 수 밖에 없는 상황을 만들어야 해.

1개나 2개를 남기면 집니다.

3개를 남기고 상대가 1개를 가져가면 2개를, 상대가 2개를 가져가면 1개를 가져가 이깁니다.

거꾸로 3개씩 빼는 것을 반복하다 보면 처음에 몇 개를 가져가야 하는지 알 수 있지.

구슬 8개를 놓고 냥이가 먼저 시작해서 이기기 위해서는 처음에 2(=8-3-3)개를 가져가야 이길 수 있어!

탐구 유형 3-1 구슬 가져가기

성찬, 수민이가 한 번씩 번갈아가며 1번 구슬부터 순서대로 1개 또는 2개의 구슬을 가져가는 게임을 합니다. 마지막 10번 구슬을 가져가는 사람이 이깁니다.

① ② ③ ④ ⑤ ⑥ ⑦ ⑧ ⑨ ⑩

수민이가 반드시 이기기 위한 전략을 찾으시오.

Point 10번 구슬부터 수민이가 가져가야 하는 구슬을 거꾸로 생각해 봅니다.

(1) 수민이가 10번 구슬을 가져가기 위해 그 전 차례에 반드시 가져가야 하는 구슬의 번호를 쓰시오.

(2) 수민이가 (1)번에서 찾은 구슬의 번호를 가져가기 위해 그 전 차례에 반드시 가져가야 하는 구슬의 번호를 쓰시오.

(3) 수민이가 반드시 이기기 위한 전략을 적어 보시오.

연습 01 두 사람이 한 번씩 번갈아가며 1번 칸부터 순서대로 1개 또는 2개의 칸을 칠하는 게임을 합니다. 먼저 칠한 사람이 13번 칸을 반드시 칠하기 위해 처음에 칠해야 하는 칸의 수를 구하시오.

1	2	3	4	5	6	7	8	9	10	11	12	13

연습 02 두 사람이 한 번씩 번갈아가며 지우개 15개 중 1개, 2개, 또는 3개를 가져가고 마지막 지우개를 가져가는 사람이 이기는 게임을 합니다. 먼저 하는 사람이 반드시 이기기 위해 처음에 가져가야 하는 지우개의 개수를 구하시오.

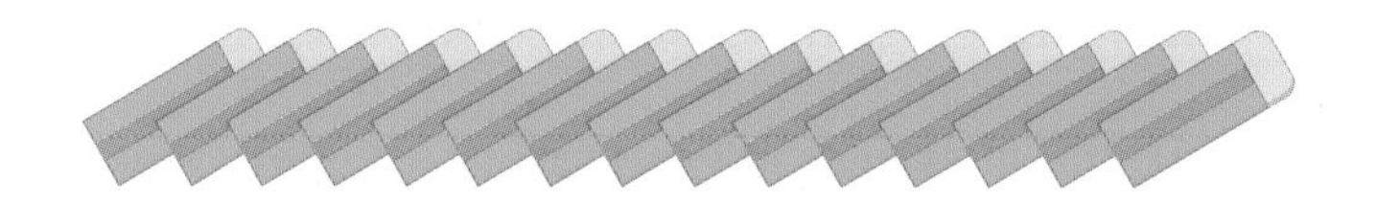

연습 03 두 사람이 한 번씩 번갈아가며 달력의 날짜에 순서대로 X표를 하는데, 한 번에 1개, 2개 또는 3개씩 표시할 수 있고 28일에 X표 하는 사람이 이기는 게임을 합니다. 아래의 달력으로 게임을 할 때, 먼저 하는 사람과 나중에 하는 사람 중 누가 더 유리한지 구하시오.

일	월	화	수	목	금	토
			1	2	3	4
5	6	7	8	9	10	11
12	13	14	15	16	17	18
19	20	21	22	23	24	25
26	27	28				

탐구 유형 3-2 퍼즐 조각 채워 넣기

한 번씩 번갈아가며 자기 차례에 1개의 조각만 사용할 수 있고 1번부터 채워서 마지막 11번을 채우는 사람이 이깁니다. 단, 세 가지 모양의 퍼즐 조각은 충분히 있습니다.

두 사람이 게임을 하는데 먼저 하는 사람이 반드시 이기려면 처음에 어떤 조각을 사용해야 하는지 찾아 ○표 하시오.

Point 7번 칸까지 채우면 다음 사람은 10번까지 채울 수 있습니다.

연습

01 두 사람이 양쪽 끝에 바둑돌을 한 개씩 놓고, 한 번씩 번갈아가며 1칸 또는 2칸씩 움직이는 게임을 합니다. 바둑돌은 한 쪽 방향으로만 움직일 수 있고 상대방 바둑돌과 이웃하여 더 이상 이동할 수 없으면 지게 됩니다.

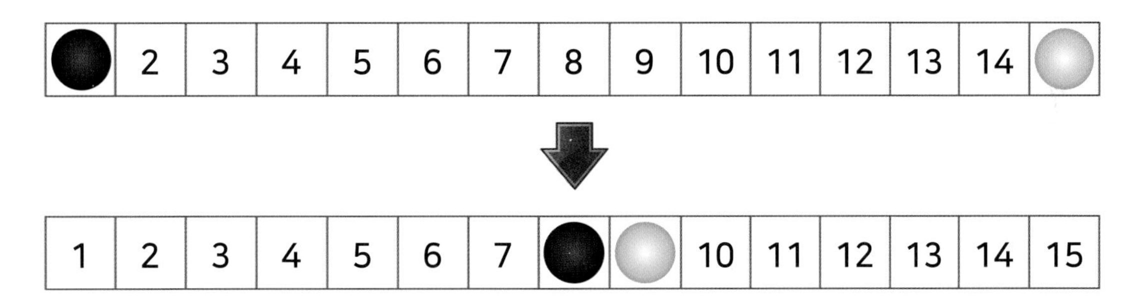

검은색 바둑돌이 먼저 시작해서 반드시 이기려면 처음에 몇 번 칸으로 이동해야 하는지 구하시오.

규칙을 거꾸로 하면 1을 더하거나 2배를 하는 것이 됩니다.

01 홀수는 1을 빼고 짝수는 반으로 나눕니다.

7 → 6 → 3 → 2

이와 같은 규칙으로 어떤 수를 3번 계산하니 3이 되었습니다. 어떤 수가 될 수 있는 수를 모두 구하시오.

파란색 띠 2개의 길이는 6 cm이고 갈색 띠 3개와 초록색 띠 7개의 길이가 같습니다.

02 종이 띠를 겹쳐지는 부분 없이 이어서 긴 띠를 만들었습니다. 같은 색 띠끼리는 길이가 같을 때 ①번 띠의 길이를 구하시오.

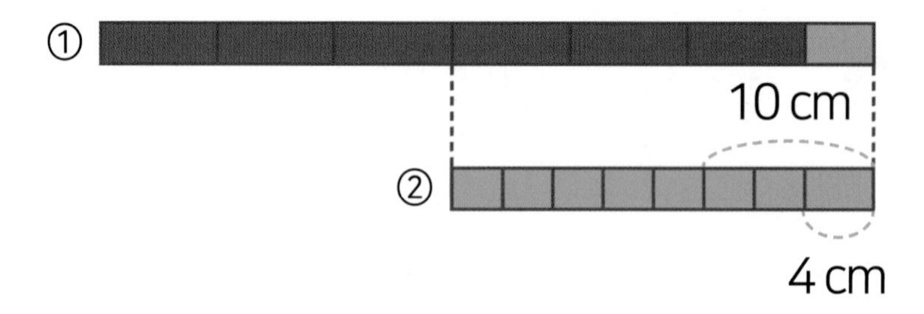

접는 선

03 수민, 민서, 예준이가 한 번씩 번갈아가며 연필 17개 중 1개 또는 2개를 가져가고 마지막 연필을 가져가는 사람이 이기는 게임을 합니다.

수민, 민서, 예준이 순서로 게임을 하는데 민서는 무조건 1개씩 가져갑니다. 수민이가 반드시 이기기 위해 처음에 가져가야 하는 연필의 개수를 구하시오.

민서가 가져가는 연필의 개수는 정해져 있으므로 민서와 예준이가 가져가는 연필의 개수를 묶어서 생각할 수 있습니다.

TOP of TOP

04 깜이와 냥이가 가진 구슬의 개수는 서로 같습니다. 깜이가 냥이에게 구슬 3개를 주고, 다시 냥이가 깜이에게 깜이가 가진 구슬의 3배만큼 주니 서로 가진 구슬의 개수가 같아졌습니다. 두 사람이 가지고 있는 구슬의 개수의 합은 몇 개인지 구하시오.

두 번째에 냥이가 깜이에게 준 구슬도 3개입니다.

접는 선

TOP 사고력 수학

3. 차 탐구

생각열기

두 막대의 길이

길이가 40 cm인 막대를 잘라서 길이의 차가 14 cm인 막대 2개를 만들었습니다.

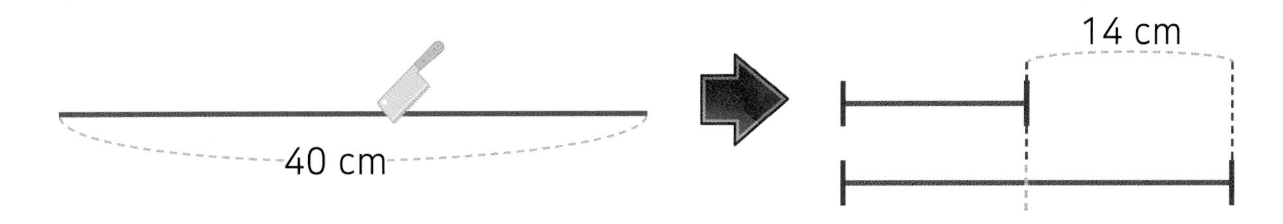

두 막대의 길이가 같아지도록 긴 막대를 잘랐습니다. 잘라낸 후 남은 두 막대의 길이의 합을 구하시오.

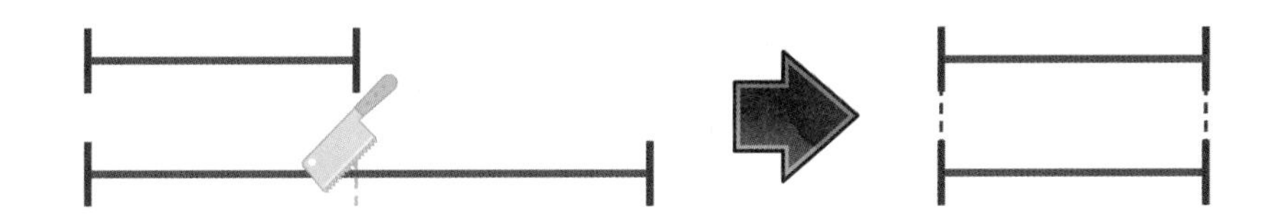

긴 막대와 짧은 막대의 길이를 각각 구하시오.

긴 막대: ☐ cm　　짧은 막대: ☐ cm

긴 막대와 짧은 막대의 합에서 두 막대의 차를 빼면 짧은 막대 2개의 합을 알 수 있어. 짧은 막대 2개의 합을 반으로 나누면 짧은 막대 1개의 길이를 알 수 있지.

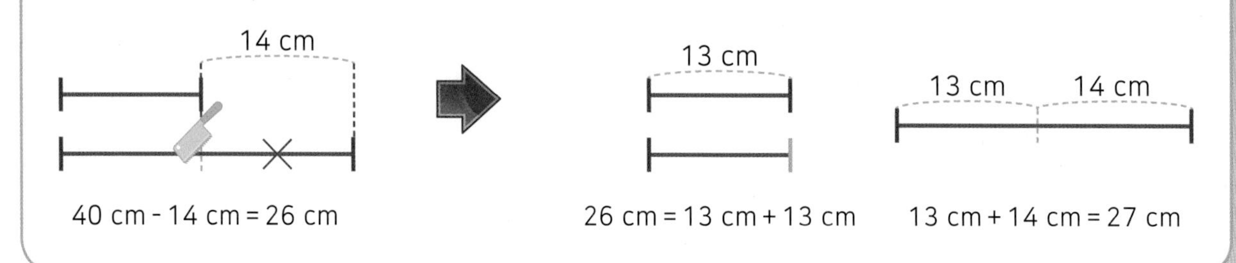

32개의 사탕을 두 상자에 나누어 담고 세어 보니 분홍색 상자에 사탕이 10개 더 들어 있었습니다. 초록색 상자에 들어 있는 사탕의 개수를 구하시오.

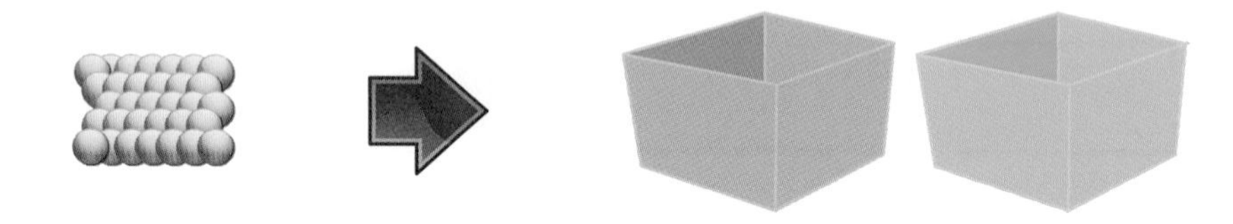

주어진 조건에 맞는 두 수를 구하시오.

(1) 합이 60이고 차가 16인 두 수

(2) 합이 35이고 차가 7인 두 수

(3) 합이 100이고 차가 18인 두 수

1 같은 물건의 양의 차

탐구 유형 1-1 구슬의 가격

같은 색 구슬은 가격이 같고, 다른 색 구슬은 가격이 다를 때 파란색 구슬 1개와 빨간색 구슬 1개의 가격을 각각 구하시오.

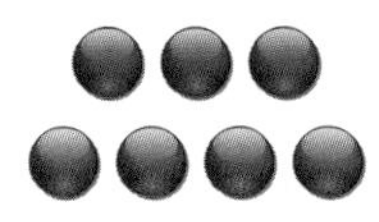 ㉠ 묶음: 3200원  ㉡ 묶음: 3600원

Point 두 묶음의 차이는 파란색 구슬 1개입니다.

(1) ㉡ 묶음에는 ㉠ 묶음보다 어떤 색 구슬이 몇 개 더 많은지 구하시오.

(2) 두 묶음의 가격 차이를 구하시오.

(3) 파란색 구슬 1개의 가격을 구하시오.

(4) 빨간색 구슬 1개의 가격을 구하시오.

연습

01 지우개 2개와 연필 3개의 무게의 합은 230 g이고 지우개 2개와 연필 4개의 무게의 합은 280 g입니다. 지우개 1개의 무게를 구하시오.

탐구 유형 1-2 빈 컵의 무게

음료수가 담긴 컵의 무게는 3200 g입니다. 음료수의 절반을 마신 후 컵의 무게가 2400 g이 되었을 때, 빈 컵의 무게를 구하시오.

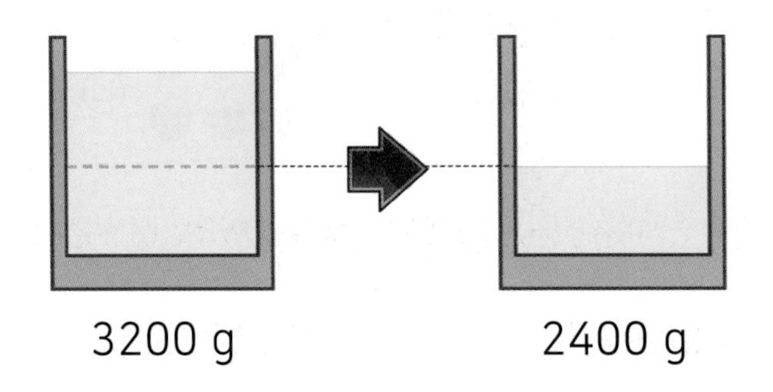

Point 음료수를 제외한 빈 컵의 무게는 마신 후에도 변하지 않습니다.

(1) 음료수 절반의 무게를 구하시오.

(2) 빈 컵의 무게는 몇 g인지 구하시오.

연습 01 매년 일정하게 자라는 나무가 있습니다. 나무를 심고 1년 후에는 13 m, 4년 후에는 22 m로 높이가 변했습니다. 처음 심었을 때 나무의 높이를 구하시오.

연습 02 바구니에 담긴 사과 9개의 가격이 7700원, 바구니에 담긴 사과 6개의 가격이 5300원일 때, 바구니의 가격을 구하시오.

연습 03 지혜와 유진이의 나이를 더하면 18살, 지혜와 세영이의 나이를 더하면 26살이 됩니다. 세영이 나이는 유진이 나이의 3배일 때, 지혜의 나이를 구하시오.

연습 04 라면 1개와 만두 2개를 주문하면 3200원, 라면 1개와 주먹밥 2개를 주문하면 4400원입니다. 주먹밥 가격은 만두 가격의 두 배일 때, 라면 1개의 가격을 구하시오.

2 다른 물건의 값의 차

과일을 5개씩 접시에 놓고 팔 때, 바나나와 딸기의 가격을 비교해 봅시다.

1700원

1800원

왼쪽 접시의 딸기 1개를 바나나 1개로 바꾸면 두 접시에 담긴 과일은 같아집니다. 딸기 1개를 바나나 1개로 바꿀 때마다 과일 가격이 얼마씩 변하는지 구하시오.

두 과일 중 어떤 과일이 얼마나 더 비싼지 구하시오.

바나나와 딸기의 가격이 다르기 때문에 딸기를 바나나로 바꿀 때마다 접시 위의 과일 가격도 달라져. 하나씩 바꿀 때마다 가격이 어떻게 변하는지 관찰하면 두 과일의 가격 차를 알 수 있지!

주황색 막대 1개는 보라색 막대 1개보다 몇 cm 긴지 구하시오.

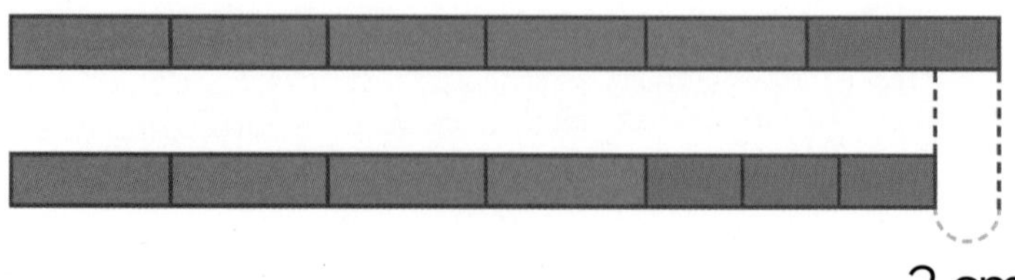

탐구 유형 2-1 다트 게임

다트의 노란색 부분에 한 발 맞히면 ㉠점을 얻고,
파란색 부분에 한 발 맞히면 ㉡점을 얻습니다.

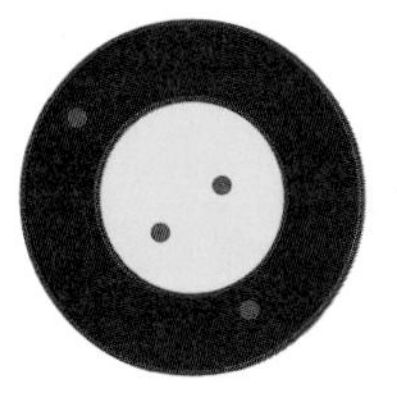
지수 - 18 점

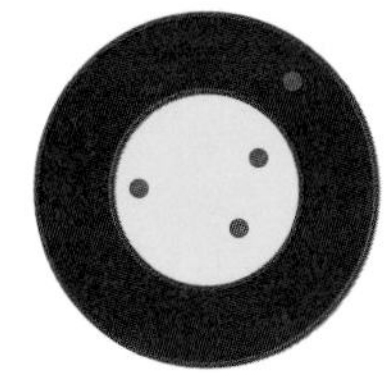
리아 - 21 점

두 사람 모두 4발씩 던진 결과를 보고 노란색 부분에 한 발 맞혔을 때 얻는 점수를 구하시오.

Point 지수와 리아의 점수 차이는 노란색 부분과 파란색 부분의 점수 차입니다.

(1) 리아가 지수보다 노란색 부분에 몇 발 더 많이 맞혔고 총점이 몇 점 더 높은지 구하시오.

(2) ㉠과 ㉡의 차를 구하시오.

(3) 리아가 4발 모두 노란색 부분에 맞혔다면 총점은 몇 점이었을지 구하시오.

(4) 노란색 부분에 한 발 맞혔을 때 얻는 점수를 구하시오.

연습

01 우유를 파란 컵 4개, 빨간 컵 1개에 가득 채우려면 2100 mL, 파란 컵 1개, 빨간 컵 4개에 가득 채우려면 2400 mL가 필요합니다. 우유를 파란 컵 1개에 가득 채우려면 몇 mL가 필요한지 구하시오.

다른 물건의 값의 차

연습

02 다음 그림을 보고 연필이 지우개보다 몇 cm 더 긴지 구하시오.

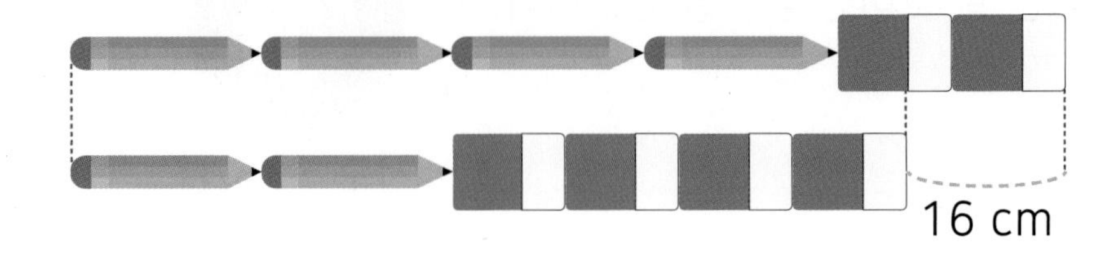

연습

03 아래는 지하철 노선도의 일부입니다. 노선의 색이 같으면 한 정거장을 가는데 걸리는 시간이 같습니다.

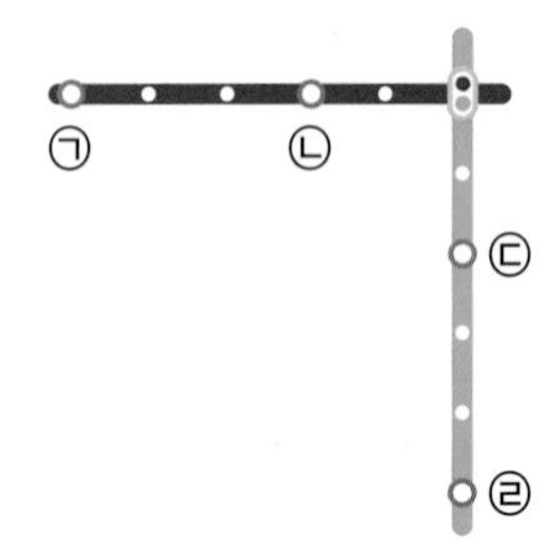

㉠에서 ㉢까지 가는데 25분이 걸리고 ㉡에서 ㉣까지 가는데 31분이 걸립니다. 초록색 노선에서 한 정거장을 가는데 걸리는 시간을 구하시오. 단, 갈아 타는데 걸리는 시간은 생각하지 않습니다.

탐구 유형 2-2 과일이 나타내는 수

같은 과일은 같은 수를, 다른 과일은 다른 수를 나타냅니다.

○ + ○ + ○ + ● + ● = 13

○ + ● + ● + ● + ● = 11

○이 나타내는 수를 구하시오.

Point 두 번째 식에서 어떤 과일 몇 개를 다른 과일로 바꾸어야 첫 번째 식과 같아지는지 생각해 봅니다.

(1) 두 번째 식에서 ● 몇 개를 ○로 바꾸면 첫 번째 식이 되는지 구하시오.

(2) ● 1개를 ○ 1개로 바꿀 때마다 값이 얼마씩 변하는지 구하시오.

(3) 식 ○ + ○ + ○ + ○ + ○의 값을 구하시오.

(4) ○이 나타내는 수를 구하시오.

연습

01 같은 모양은 같은 수를, 다른 모양은 다른 수를 나타낼 때, 다음 두 식을 보고 ◇와 ◆가 나타내는 수를 구하시오.

◇ + ◆ + ◆ + ◆ + ◆ = 17

◇ + ◇ + ◆ + ◆ + ◆ = 14

다른 물건의 값의 차

연습

02 같은 모양은 같은 수를, 다른 모양은 다른 수를 나타냅니다. 빨간색 묶음 안의 수의 합은 20이고 파란색묶음 안의 수의 합은 14일 때, □ 안에 모양이 나타내는 수를 써넣으시오.

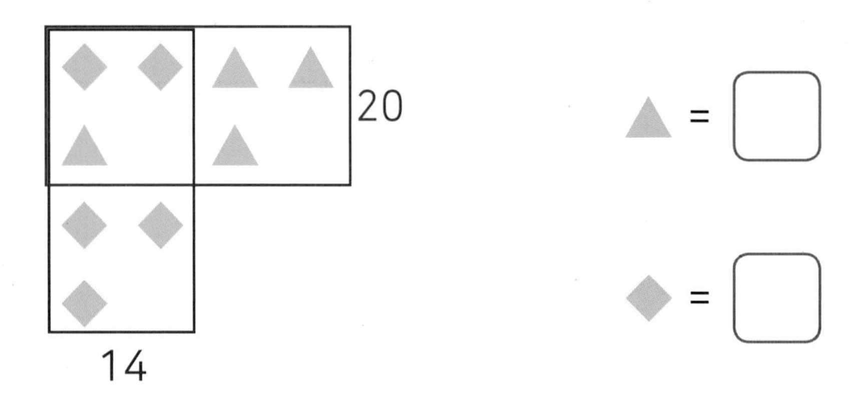

연습

03 두 종류의 사탕은 서로 다른 수를 나타냅니다. □ 안에 사탕이 나타내는 수를 써넣으시오.

+ + + + = 21

+ + + + = 13

= □

= □

탐구 유형 2-3 모양이 나타내는 수

표 오른쪽의 수는 가로줄에 있는 모양이 나타내는 수의 합입니다. 같은 모양은 같은 수를, 다른 모양은 다른 수를 나타낼 때, 각 모양이 나타내는 수를 구하시오.

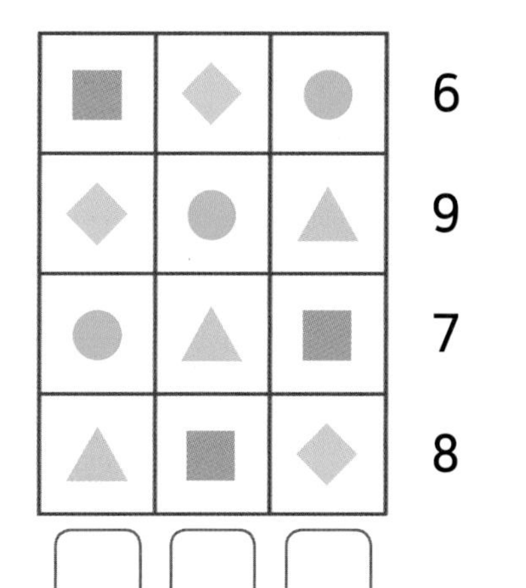

Point 각 세로줄에는 4개의 모양이 1개씩 들어 있습니다.

(1) 표 안에 있는 모양들을 모두 더한 값을 구하시오.

(2) 모양들을 모두 더한 값을 이용하여 □ 안에 알맞은 세로줄의 합을 써넣으시오.

(3) ■+◆+●+▲와 ■+◆+●의 차를 이용하여 ▲가 나타내는 수를 구할 수 있습니다. 같은 방법으로 각 모양이 나타내는 수를 구하시오.

■: □ ◆: □ ●: □ ▲: □

연습 01 과일 묶음의 가격이 다음과 같을 때, 사과 한 개의 가격을 구하시오.

6천원

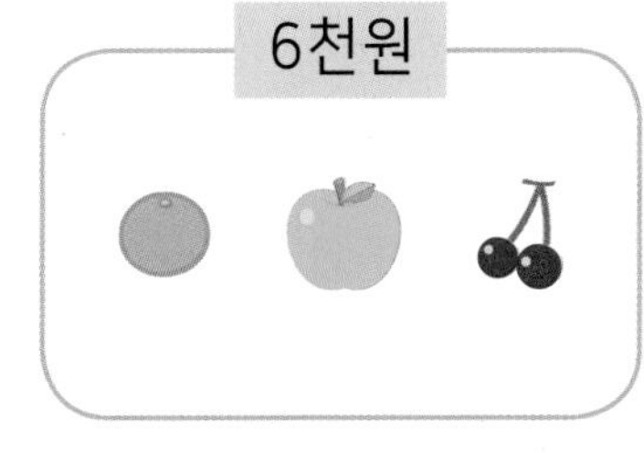

9천원

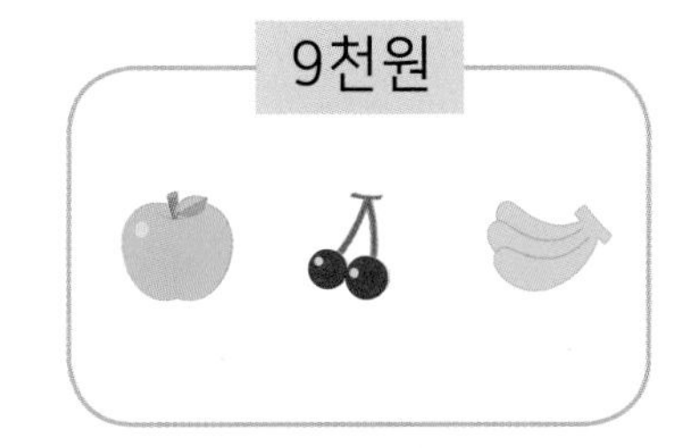

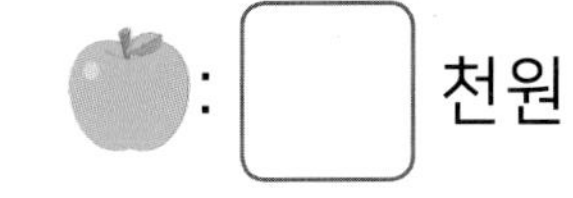

8천원

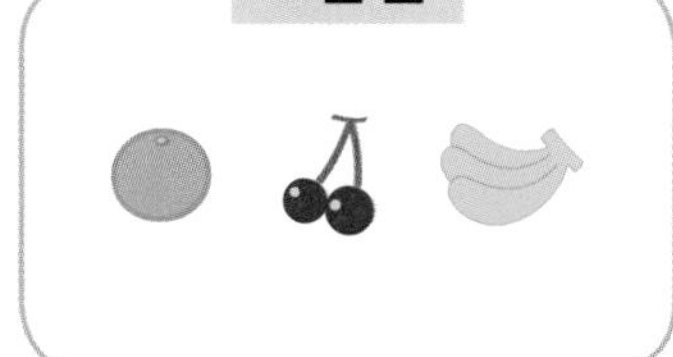

7천원

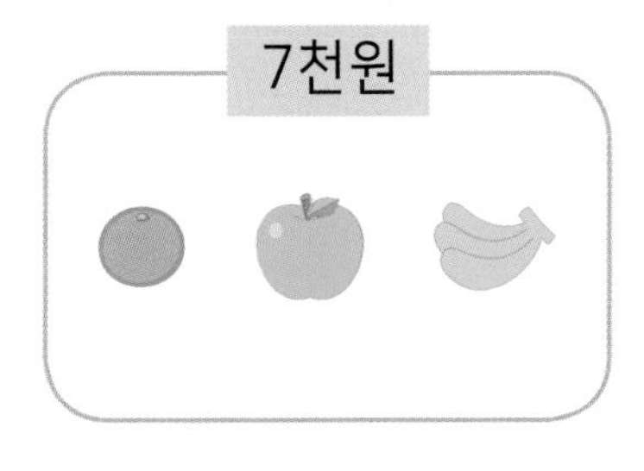

(사과): □ 천원

연습 02 같은 색의 주머니에는 서로 같은 개수의 금화가 들어 있고 다른 색의 주머니에는 서로 다른 개수의 금화가 들어 있습니다.

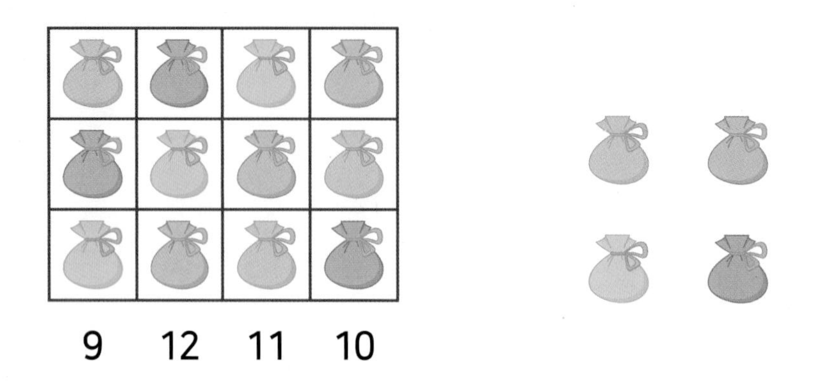

표 아래의 수는 각 세로줄에 있는 금화 개수의 합입니다. 네 종류의 주머니 중에서 금화가 가장 많이 들어 있는 주머니에 ○표 하시오.

연습 03 같은 종류의 공은 무게가 같고, 다른 종류의 공은 무게가 다릅니다.

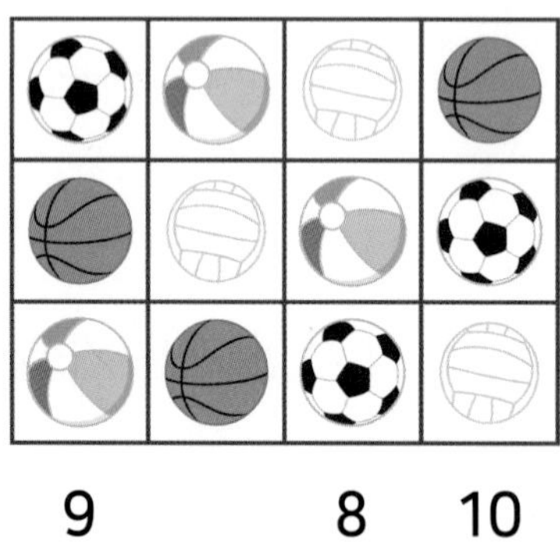

표 아래의 수는 각 세로줄에 있는 공의 무게의 합입니다. 표 안에 있는 모든 공의 무게의 합이 39일 때 (농구공)의 무게를 구하시오.

3 남고 모자라고

탐구 유형 3-1 인형의 무게

같은 개수의 50 g짜리 추와 30 g짜리 추가 있습니다. 인형의 무게는 50 g짜리 추 전부를 사용한 것보다 50 g 더 무겁고 30 g짜리 추 전부를 사용한 것보다 230 g 더 무겁습니다. 인형의 무게를 구하시오.

Point 인형의 무게를 재는데 사용한 같은 개수의 50 g짜리 추의 무게와 30 g짜리 추의 무게를 비교합니다.

(1) 인형의 무게를 재는데 사용한 같은 개수의 50 g짜리 추의 무게와 30 g짜리 추의 무게의 차이는 몇 g인지 구하시오.

(2) 인형의 무게를 재는데 사용한 50 g짜리 추의 개수를 구하시오.

(3) 인형의 무게를 구하시오.

연습 01 모임에 참석한 모든 사람들에게 사탕을 9개씩 나누어주려고 하니 11개가 모자라고 8개씩 나누어주려고 하니 2개가 모자랍니다. 사탕의 개수를 구하시오.

연습 02 승주네 교실에는 몇 개의 큰 책상이 있습니다. 승주네 반 모든 학생들이 큰 책상 한 개에 4명씩 앉으면 9자리가 부족하고, 5명씩 앉으면 5자리가 부족합니다. 승주네 반 학생은 모두 몇 명인지 구하시오.

3 남고 모자라고

탐구 유형 3-2 칠판의 길이

같은 개수의 8 cm 막대와 9 cm 막대가 있습니다. 8 cm 막대 전부를 이어붙였더니 칠판보다 4 cm가 짧고, 9 cm 막대 전부를 이어붙였더니 칠판보다 5 cm가 길었을 때, 칠판의 길이를 구하시오.

Point 사용한 같은 개수의 8 cm 막대의 길이의 합과 9 cm 막대의 길이의 합을 비교합니다.

(1) 칠판의 길이를 재는데 사용한 같은 개수의 8 cm 막대 길이의 합과 9 cm 막대 길이의 합의 차이는 몇 cm인지 구하시오.

(2) 칠판의 길이를 재는데 사용한 8 cm 막대의 개수를 구하시오.

(3) 칠판의 길이를 구하시오.

연습 01 먹고 남은 모든 과자를 가지고 있는 몇 개의 봉지에 담으려고 합니다. 봉지 하나에 5개씩 담으니 7개가 남고, 6개씩 담으니 1개가 부족할 때, 과자의 개수를 구하시오.

연습 02 올해 10살인 은영이 나이에 몇 배를 하면 올해 할아버지의 나이보다 1살 많고 내년 은영이 나이에 똑같이 몇 배를 하면 올해 할아버지의 나이보다 7살 많습니다. 올해 할아버지의 나이를 구하시오.

연습 03 종이띠를 5 cm씩 잘라 몇 조각을 만들면 2 cm가 남고, 7 cm씩 잘라 같은 개수의 조각을 만들려면 12 cm가 부족합니다. 종이띠의 길이를 구하시오.

연습 04 가지고 있는 몇 개의 바퀴로 자전거를 만들려고 합니다. 두발자전거를 몇 대 만들면 바퀴 6개가 남고, 같은 대수의 세발자전거를 만들려면 바퀴 3개가 더 필요합니다. 처음에 가지고 있던 바퀴의 개수를 구하시오.

연습 05 가지고 있는 얼마의 돈으로 같은 개수의 바나나 또는 사과를 사려고 합니다.한 개에 900원인 바나나를 사면 1400원이 모자라고, 한 개에 600원인 사과를 사면 400원이 남을 때, 처음에 가지고 있던 돈은 얼마인지 구하시오.

위의 두 묶음을 비교해 토끼 인형의 가격부터 구합니다.

01 인형 묶음의 가격이 다음과 같을 때, 거북이 인형 한 개의 가격을 구하시오.

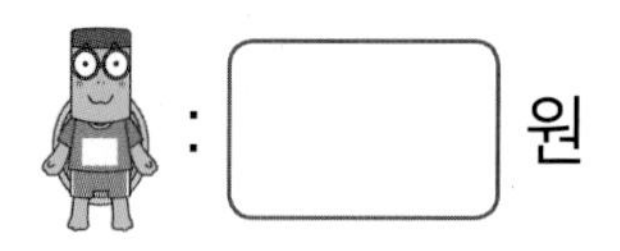

10봉지 모두 구슬 5개가 담겨있다면 50개의 구슬이 있게 됩니다. 구슬 5개가 담겨있는 봉지 하나를 구슬 4개가 담겨있는 봉지 하나로 바꿀 때마다 구슬의 개수는 1개 줄어듭니다.

02 구슬 5개가 담긴 봉지는 600원, 4개가 담긴 봉지는 500원입니다.

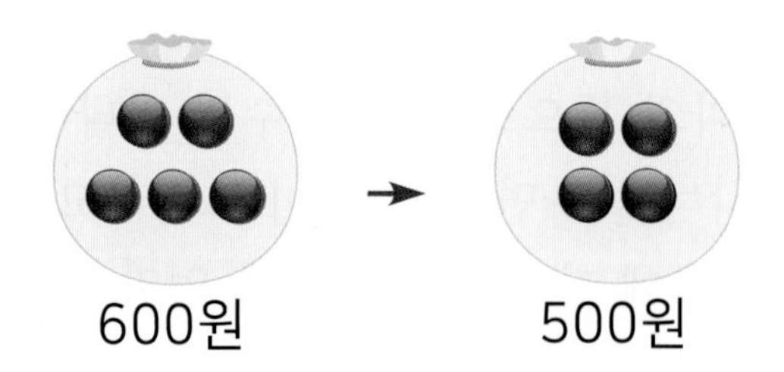

10봉지를 5700원에 샀을 때, 10봉지 안에 모두 몇 개의 구슬이 담겨있는지 구하시오.

접는 선

03 같은 개수의 4 cm 막대와 6 cm 막대가 있습니다. 4 cm 막대 전부를 이었더니 책상의 길이 절반보다 6 cm가 짧고, 6 cm 막대 전부를 이었더니 책상의 길이 절반보다 6 cm가 길었습니다. 책상의 길이는 몇 cm인지 구하시오.

4 cm 막대 전부와 6 cm 막대 전부를 한 줄로 이으면 책상의 길이와 같아집니다.

TOP of TOP

04 표 오른쪽의 수는 가로줄에 있는 모양이 나타내는 수의 합입니다. 같은 모양은 같은 수를, 다른 모양은 다른 수를 나타낼 때, 각 모양이 나타내는 수를 구하시오.

■	◆	●	6
◆	●	✶	8
●	✶	▲	10
✶	▲	■	11
▲	■	◆	10
□	□	□	

표 안의 모든 모양이 나타내는 수를 모두 더하면 각 모양이 나타내는 수를 한 번씩 더한 결과의 3배입니다.

접는 선

TOP 사고력 수학

4. 포함과 배제

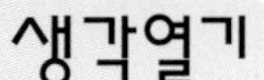

2의 배수, 3의 배수

1부터 20까지의 수 중에서 2의 배수끼리, 3의 배수끼리 묶을 수 있고 두 묶음을 겹쳐지게 할 수도 있습니다.

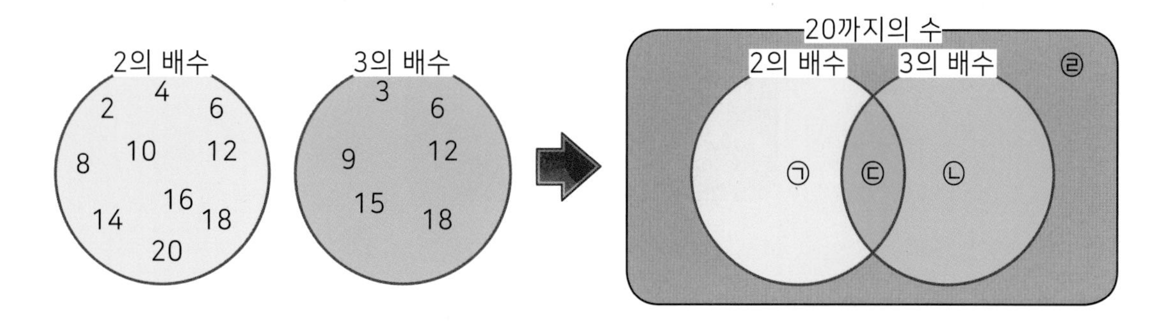

㉢에 들어가는 수를 모두 구하시오.

㉠에 들어가는 수를 모두 구하시오.

㉡에 들어가는 수를 모두 구하시오.

㉣에 들어가는 수를 모두 구하시오.

㉠에 들어가는 수는 파란색 원의 밖에 있으니 3의 배수가 아니겠지?

2의 배수, 3의 배수를 모두 만족하는 수는 ⓒ에 들어가. 2의 배수 중 ⓒ에 들어가지 않는 수는 ㉠에, 3의 배수 중 ⓒ에 들어가지 않는 수는 ⓛ에 들어가지.

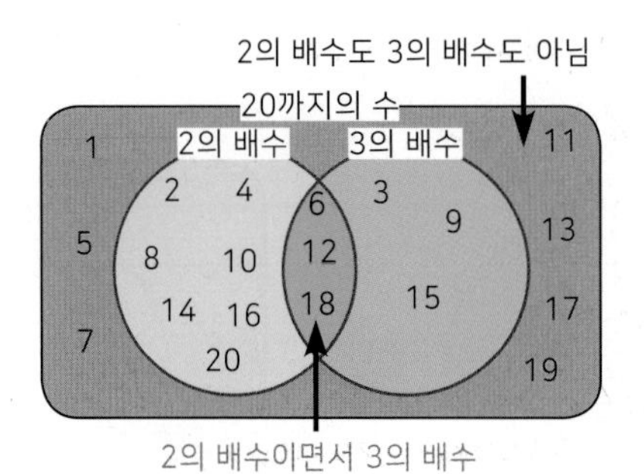

수뿐만 아니라 도형도 다음과 같이 묶어서 분류할 수 있어. 두 가지 기준을 모두 만족하면 겹쳐지는 부분에, 어떤 기준도 만족하지 않으면 바깥에 놓이게 되지.

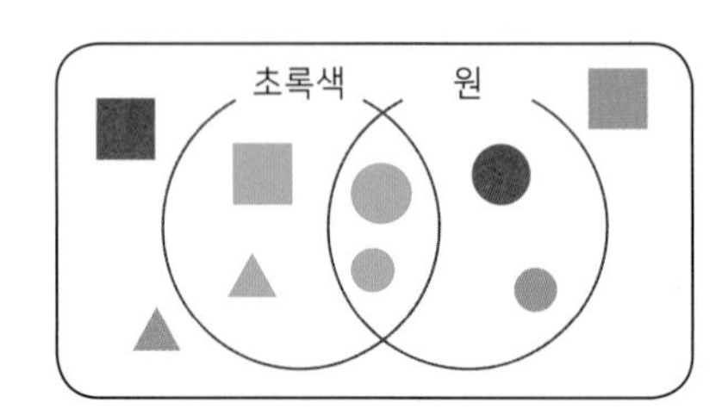

이와 같이 두 가지 이상의 기준으로 수나 물건 등을 묶어서 분류하는 그림을 벤 다이어그램이라고 해.

벤 다이어그램을 이용하여 두 가지 기준으로 단추들을 분류하려고 합니다. 벤 다이어그램의 각 부분에 알맞은 단추의 기호를 써넣으시오.

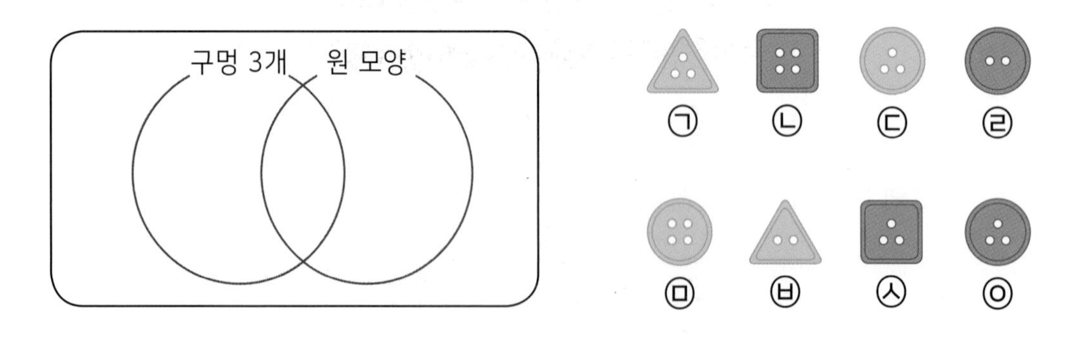

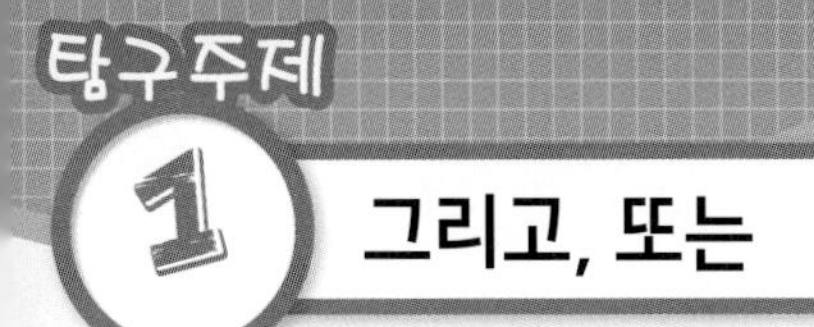

그리고, 또는

진아네 반 학생들 중 바나나를 먹은 학생들은 7명, 수박을 먹은 학생들은 9명, 둘 다 먹은 학생들은 3명, 둘 다 안 먹은 학생들은 5명입니다. 학생 한 명을 점 1개로 표시하여 다음과 같이 벤 다이어그램으로 표현할 수 있습니다.

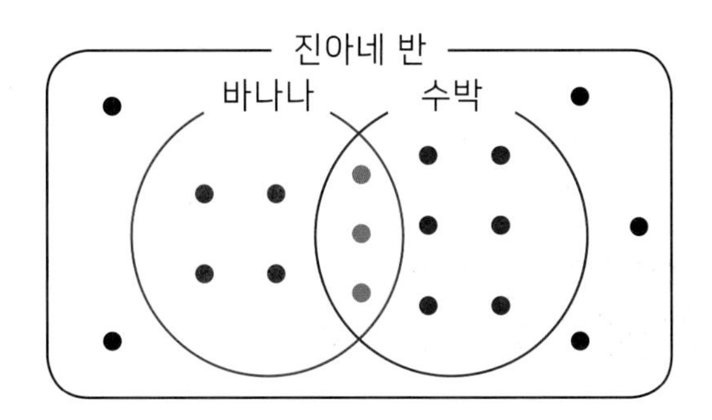

다현이네 반 학생들 중 사과를 먹은 학생들은 8명, 딸기를 먹은 학생들은 7명, 둘 다 먹은 학생들은 5명이고 둘 다 먹지 않은 학생들은 3명입니다. 위와 같은 방법으로 벤 다이어그램으로 표현해 봅시다.

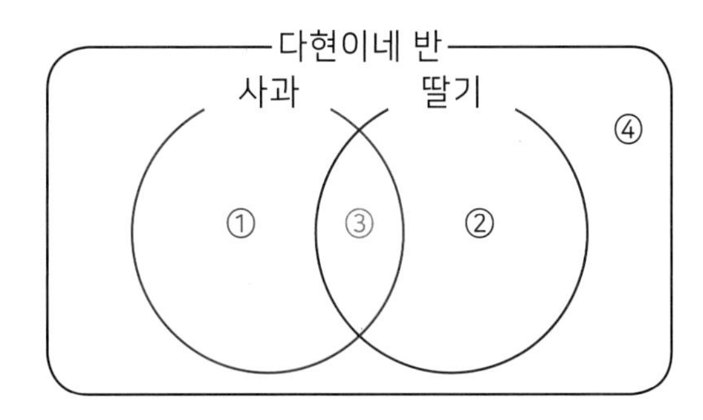

①, ②, ③, ④에 사람 수만큼 점을 그리시오.

점의 개수를 세어 다현이네 반 학생들이 모두 몇 명인지 구하시오.

사과 또는 딸기를 좋아하는 사람은 ①, ②, ③ 중 하나에 들어가게 돼. 사과와 딸기 둘 다 좋아하는 사람은 ③에 들어가!

1 그리고, 또는

탐구 유형 1-1 모양 분류하기

원 모양이거나 점무늬 모양인 도형의 개수를 구하시오.

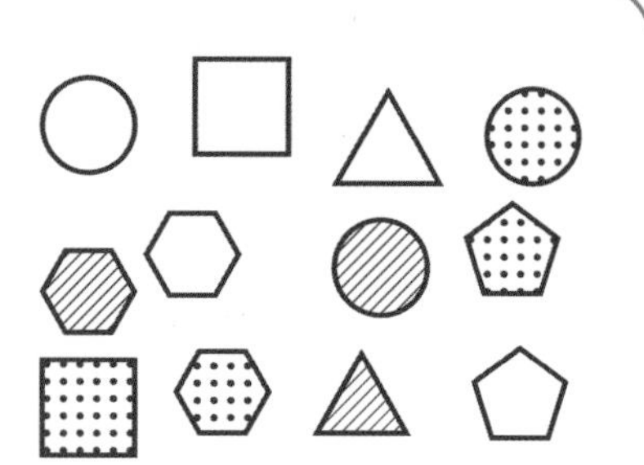

Point 두 조건을 모두 만족하는 모양은 한 번만 셉니다.

(1) 원 모양에 ○표, 점무늬 모양에 △표 하시오.

(2) ○표 했거나 △표 한 모양의 개수를 구하시오.

(3) 원 모양이거나 점무늬 모양인 도형의 개수를 구하시오.

연습

01 다음 표를 보고 물음에 답하시오.

(1) 키가 130 cm보다 크고 몸무게가 30 kg보다 무거운 사람은 몇 명인지 구하시오.

(2) 키가 130 cm보다 작거나 몸무게가 30 kg보다 가벼운 사람은 몇 명인지 구하시오.

	키	몸무게
㉠	132 cm	25 kg
㉡	128 cm	28 kg
㉢	140 cm	33 kg
㉣	133 cm	31 kg
㉤	144 cm	29 kg
㉥	125 cm	24 kg
㉦	134 cm	35 kg
㉧	133 cm	30 kg
㉨	131 cm	28 kg
㉩	129 cm	32 kg

연습 02 16장의 카드 중에서 눈이 2개이거나 초록색인 것의 개수를 구하시오.

연습 03 1부터 20까지의 수 중에서 3의 배수 또는 5의 배수인 수의 개수를 구하시오.

연습 04 원 모양도 아니고 빨간색도 아닌 모양의 개수를 구하시오.

중복되는 부분

사각형 2개를 겹쳤을 때, 겹쳐진 도형의 넓이는 10입니다.

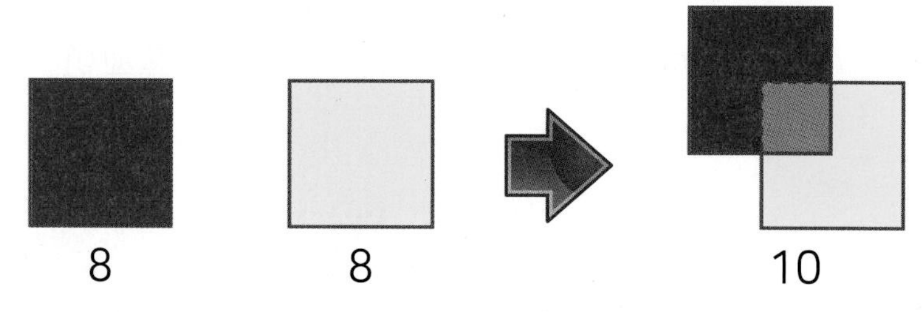

겹치기 전 사각형 2개의 넓이의 합을 구하고, 겹쳐진 도형과의 넓이의 차를 구하시오.

주황색 부분의 넓이를 구하시오.

겹쳐진 부분의 넓이가 4가 되도록 두 색종이를 겹쳤습니다.

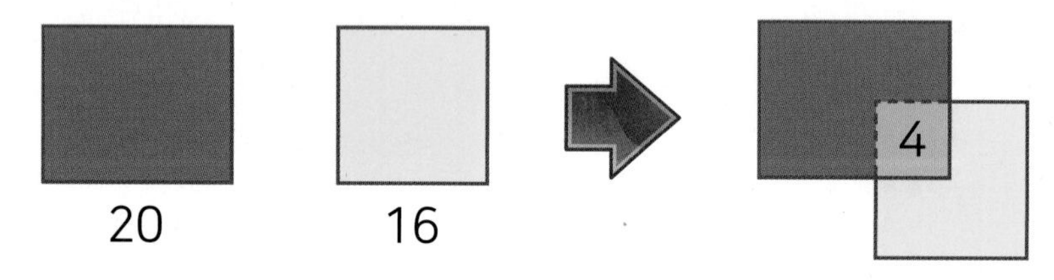

두 색종이에서 겹쳐진 부분을 자르고 남는 부분의 넓이를 각각 구하시오.

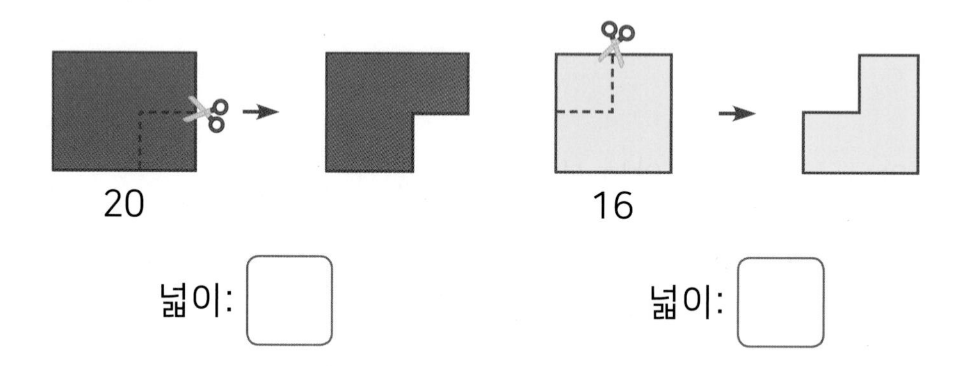

남는 부분의 넓이의 차를 구하고 자르기 전 두 색종이의 넓이의 차와 비교하시오.

전체 넓이로 겹쳐진 부분의 넓이를 구할 수도 있고 겹쳐진 부분을 자르고 남는 부분의 넓이로 두 도형의 넓이의 차도 구할 수 있어!

탐구 유형 2-1 사각형의 넓이

크기와 모양이 같은 사각형 3개를 겹쳤더니 ㉠, ㉡ 부분의 넓이의 합은 6이고 겹쳐진 도형의 넓이는 27이 되었습니다. 겹치기 전 사각형 1개의 넓이를 구하시오.

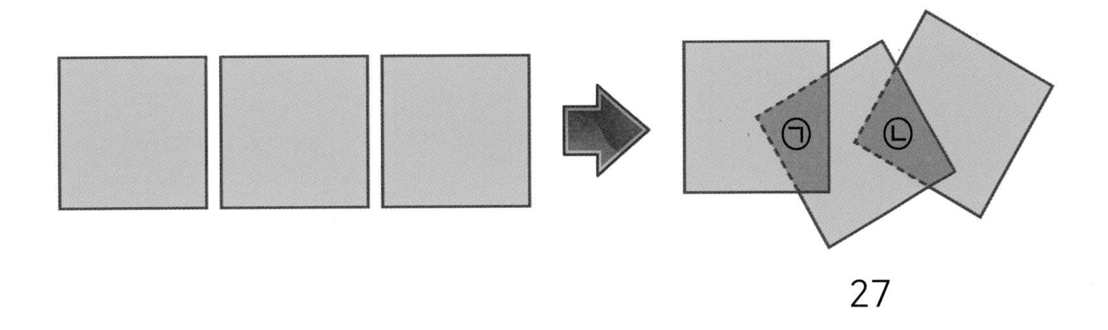

Point 겹치기 전 사각형 3개의 넓이의 합에서 겹쳐진 부분의 넓이를 빼면 겹쳐진 도형의 넓이를 알 수 있습니다.

(1) 겹치기 전 사각형 3개의 넓이의 합과 겹쳐진 도형과의 넓이의 차를 구하시오.

(2) 겹치기 전 사각형 3개의 넓이를 구하시오.

(3) 겹치기 전 사각형 1개의 넓이를 구하시오.

연습 01 크기와 모양이 같은 삼각형 2개를 겹쳐 넓이가 37인 별 모양을 만들었습니다. 육각형 부분의 넓이가 13일 때 겹치기 전 삼각형 1개의 넓이를 구하시오.

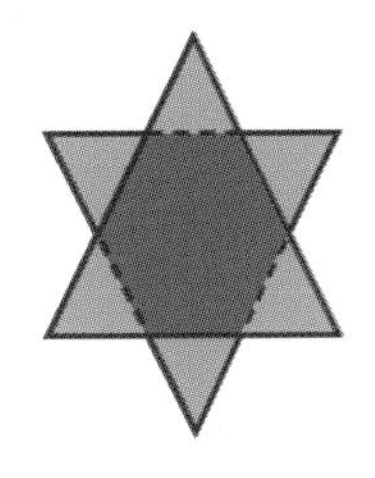

중복되는 부분

연습

02 넓이가 20인 사각형 3개를 겹쳐서 만든 도형의 넓이는 45입니다. ㉠, ㉡ 부분의 넓이의 합을 구하시오.

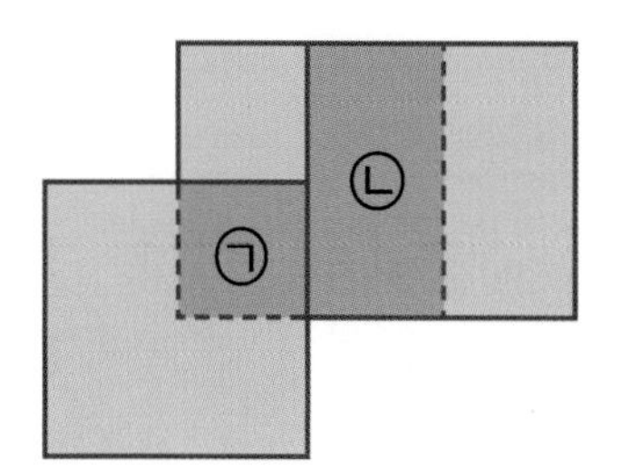

연습

03 사각형 1개와 삼각형 2개를 겹쳐서 만든 도형의 넓이는 36입니다. ㉠, ㉡ 부분의 넓이의 합이 12이고 삼각형 넓이는 사각형 넓이의 절반일 때 삼각형 1개의 넓이를 구하시오.

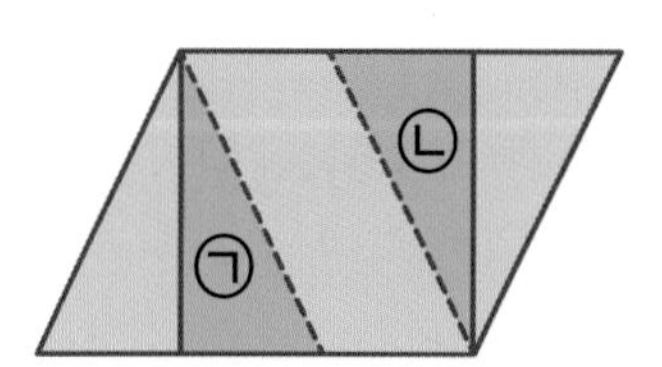

연습

04 넓이를 알 수 없는 사각형과 넓이가 20인 삼각형이 다음과 같이 겹쳐져 있습니다.

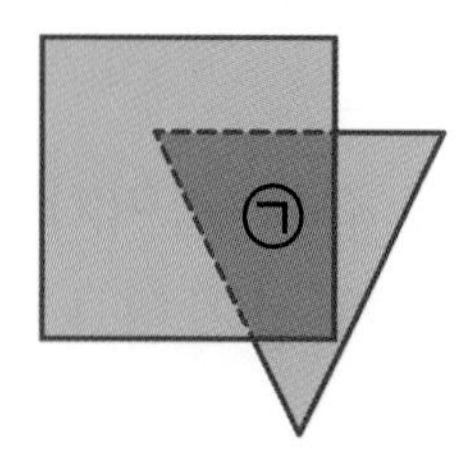

㉠ 부분의 넓이는 12이고 겹쳐진 도형의 넓이는 40일 때 사각형의 넓이를 구하시오.

탐구 유형 2-2 넓이의 차

넓이가 25인 삼각형과 20인 원을 겹쳐지게 그렸습니다. ㉠ 부분과 ㉡ 부분의 넓이의 차를 구하시오.

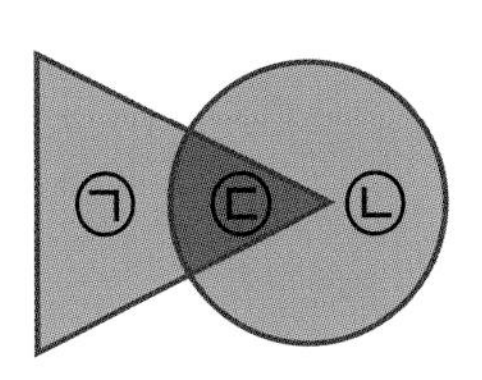

Point 삼각형은 ㉠, ㉢ 부분, 원은 ㉡, ㉢ 부분으로 이루어져 있습니다.

(1) ㉠ 부분과 ㉢ 부분의 넓이의 합, ㉡ 부분과 ㉢ 부분의 넓이의 합을 구하시오.

㉠ + ㉢ = 　　　　　　　　㉡ + ㉢ =

(2) 와 의 넓이의 차를 구하시오.

(3) ㉠ 부분과 ㉡ 부분의 넓이의 차인 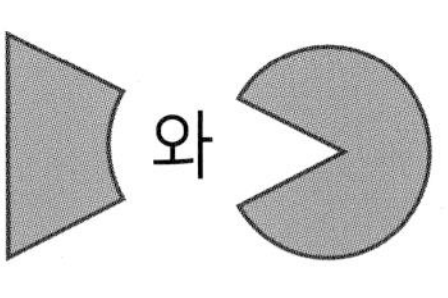 의 넓이의 차를 구하시오.

01 넓이가 같은 원과 사각형을 겹쳐지게 그렸습니다. ㉠ 부분과 ㉡ 부분의 넓이의 차를 구하시오.

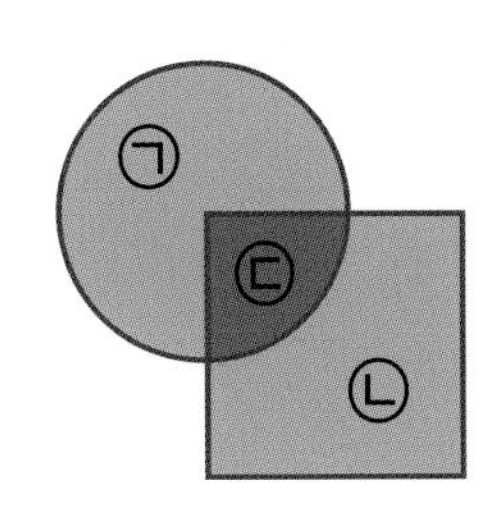

탐구주제

중복되는 부분

탐구 유형 2-3 원 안의 수

여러 개의 수가 들어 있는 두 원을 겹쳐지게 놓았습니다.

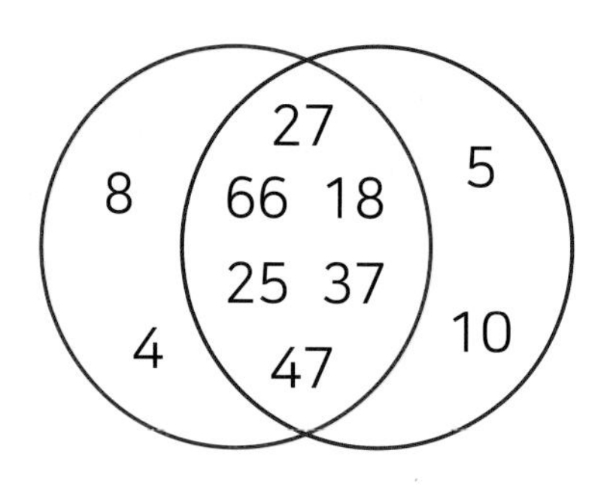

빨간색 원 안의 수의 합을 ㉠, 파란색 원 안의 수의 합을 ㉡이라 할 때, ㉠과 ㉡의 차를 구하시오.

Point 겹쳐지는 부분의 수는 빨간색 원 안의 수의 합을 구할 때도, 파란색 원 안의 수의 합을 구할 때도 더해집니다.

(1) 빨간색 원 안에만 들어가는 수에 ○표, 파란색 원 안에만 들어가는 수에 △표 하시오.

(2) ○표 한 수의 합을 ㉢, △표 한 수의 합을 ㉣이라고 할 때, ㉢과 ㉣의 차를 구하시오.

(3) ㉠과 ㉡의 차를 구하시오.

연습

01 여러 개의 수가 들어 있는 두 원을 겹쳐지게 놓았습니다.

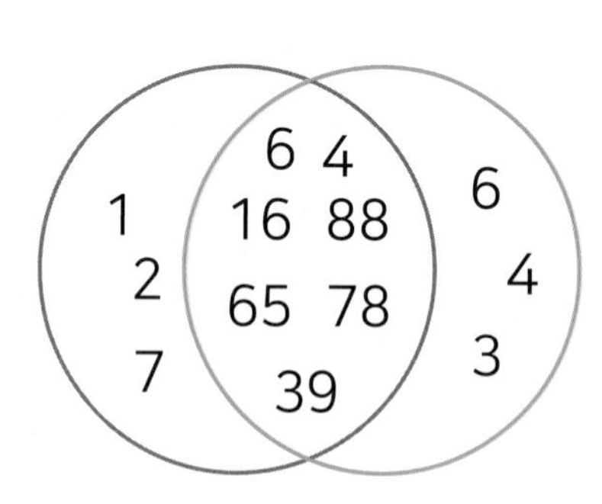

회색 원 안의 수의 합을 ㉠, 초록색 원 안의 수의 합을 ㉡이라 할 때, ㉠과 ㉡의 차를 구하시오.

연습 02 빨간색 원 안에 파란색 원이 있습니다. 빨간색 원 안의 수의 합을 ㉠, 파란색 원 안의 수의 합을 ㉡이라 할 때 ㉠과 ㉡의 차를 구하시오.

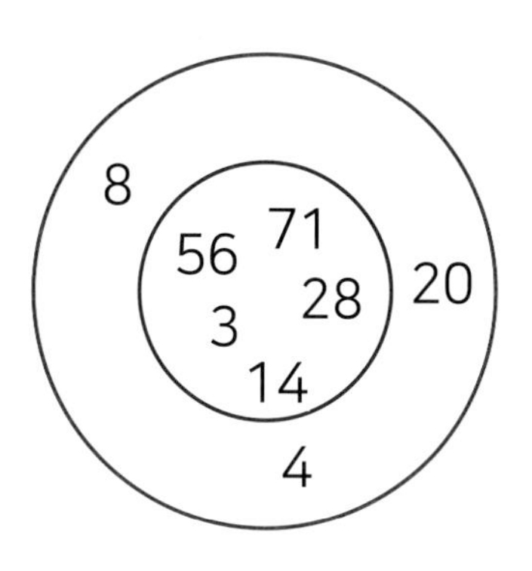

연습 03 빨간색 사각형 안의 수의 합을 ㉠, 파란색 사각형 안의 수의 합을 ㉡이라 할 때, ㉠과 ㉡의 차는 10입니다.

5
4
25
18
52
33
7
3
㉢

수 ㉢은 몇인지 구하시오.

연습 04 삼각형 안의 수의 합은 ㉠, 초록색 도형 안의 수의 합은 ㉡입니다. ㉠과 ㉡의 차를 구하시오.

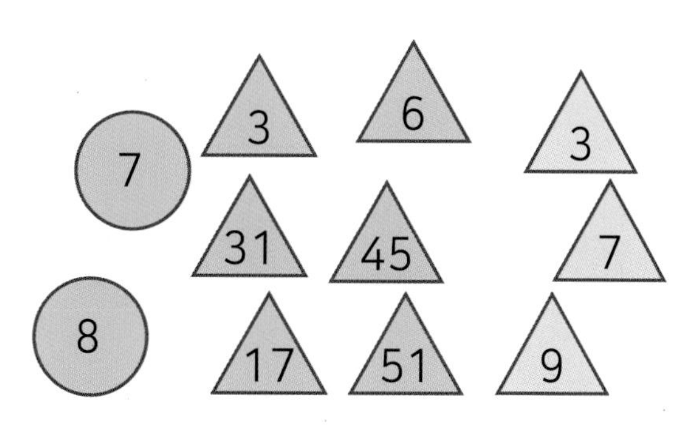

3 나머지 부분

깜이와 냥이가 가위바위보를 합니다.

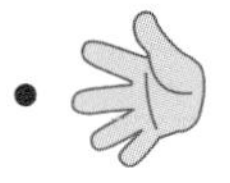

두 사람이 가위바위보를 했을 때 나올 수 있는 결과는 몇 가지인지 구하시오.

두 사람이 비기는 경우는 몇 가지인지 구하시오.

깜이가 이기거나 냥이가 이기는 경우는 몇 가지인지 구하시오.

두 사람 중 한 명이 이기는 경우를 생각해 볼 때 두 사람이 서로 다른 것을 낸 경우를 세어 봐도 되지만 서로 같은 것을 낸 경우를 세어 보는 방법도 있어.

조건에 맞는 것의 개수를 셀 수도 있고 조건에 맞지 않는 것의 개수를 세는 방법도 있어!

2개의 사각형에 빨간색, 파란색, 노란색, 초록색을 칠하려고 할 때, ㉠에 칠한 색과 ㉡에 칠한 색이 다른 경우는 몇 가지인지 구하시오.

탐구 유형 3-1 시와 분이 다른 경우

디지털시계는 '시'를 나타내는 부분과 '분'을 나타내는 부분으로 나뉩니다.

1시부터 1시 59분까지의 시각 중 '시'를 나타내는 부분과 '분'을 나타내는 부분이 서로 다른 경우는 모두 몇 번 있는지 구하시오.

Point '시'와 '분'이 같은 경우가 더 적으므로 이를 이용합니다.

(1) 시각을 '시'와 '분'으로 나타낼 때 1시부터 1시 59분까지 나타낼 수 있는 시각은 모두 몇 개 있는지 구하시오.

(2) 1시부터 1시 59분까지의 시각 중 '시'를 나타내는 부분과 '분'을 나타내는 부분이 서로 같은 경우는 몇 번 있는지 구하시오.

(3) 1시부터 1시 59분까지의 시각 중 '시'를 나타내는 부분과 '분'을 나타내는 부분이 서로 다른 경우는 모두 몇 번 있는지 구하시오.

01 디지털달력은 '월'을 나타내는 부분과 '일'을 나타내는 부분으로 나뉩니다.

7월, 8월 중 '월'을 나타내는 부분과 '일'을 나타내는 부분이 서로 다른 경우는 모두 몇 번 있는지 구하시오.

탐구 유형 3-2 **새우 알레르기**

새우가 들어간 음식이 적어도 한 개는 포함될 수 있도록 햄버거 1개, 추가 메뉴 1개를 주문하는 방법은 모두 몇 가지인지 구하시오.

메뉴판	
햄버거	추가 메뉴
불고기버거	감자튀김
새우버거	양파칩
치킨버거	치킨너겟
야채버거	옥수수샐러드
치즈버거	새우칩

Point 새우가 들어가지 않은 음식만 고르는 방법을 생각합니다.

(1) 햄버거 1개, 추가 메뉴 1개를 주문하는 방법은 모두 몇 가지인지 구하시오.

(2) 새우버거와 새우칩 둘 다 시키지 않는 방법은 몇 가지인지 구하시오.

(3) 새우가 들어간 음식이 적어도 한 개는 포함될 수 있도록 주문하는 방법은 모두 몇 가지인지 구하시오.

연습 01 메뉴판을 보니 라면은 계란라면, 부대라면, 치즈라면이 있고 김밥은 참치김밥, 김치김밥, 치즈김밥, 햄김밥이 있습니다. 치즈가 들어간 음식이 적어도 한 개는 포함될 수 있도록 라면 1개, 김밥 1개를 주문하는 방법은 모두 몇 가지인지 구하시오.

연습 02 민재네 집에서 승연이네 집으로 가려면 놀이터를 지나가야 합니다.

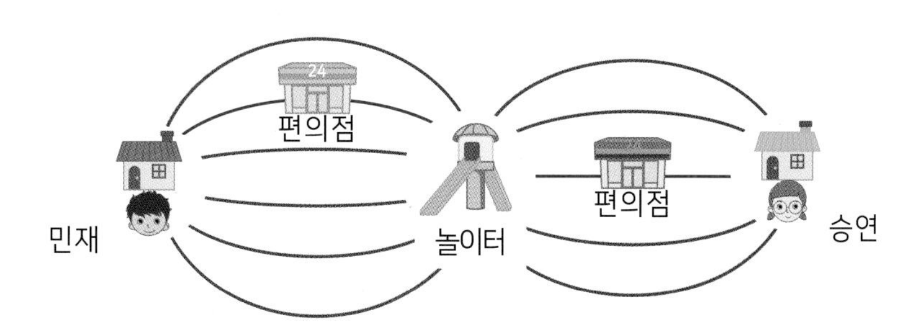

민재네 집에서 적어도 하나의 편의점을 들러 승연이네 집으로 가는 방법은 모두 몇 가지인지 구하시오. 단, 반대 방향으로 되돌아가지 않습니다.

연습 03 왼쪽에서 시작해서 오른쪽으로 점 3개를 연결하는 선을 그리면서 지나가는 점 옆의 수를 곱하는 식을 만듭니다.

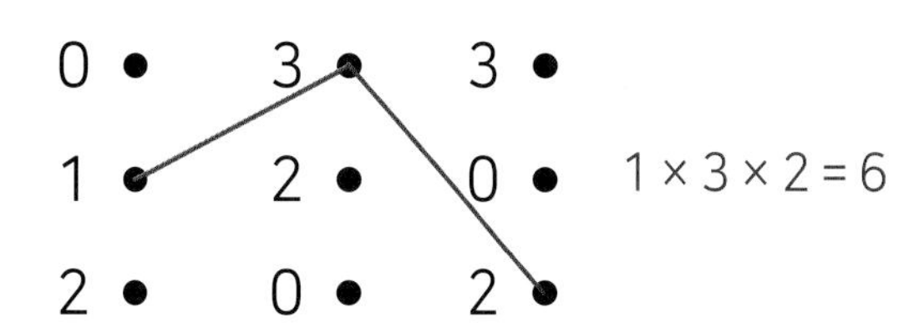

식의 값이 0이 되도록 선을 그리는 방법은 모두 몇 가지인지 구하시오.

연습 04 동전 4개를 던져 앞면이 1개보다 많이 나오면 인형을 줍니다.

인형을 받을 수 있는 방법은 모두 몇 가지인지 구하시오.

사과를 좋아하는 학생은 10명입니다.

01 30명의 학생들이 좋아하는 과일을 조사했습니다. 바나나를 좋아하는 학생이 10명, 사과를 좋아하지 않는 학생이 20명, 두 과일 모두 좋아하는 학생이 2명일 때, 두 과일 모두 싫어하는 학생의 수를 구하시오.

㉠, ㉡ 부분의 넓이의 합이 10이기 때문에 문제에서 오른쪽으로 갈수록 넓이의 합이 10씩 줄어듭니다.

02 크기와 모양이 같은 사각형 3개를 겹쳐서 겹쳐진 부분을 잘라내니 도형의 넓이가 40이 되었습니다. ㉠, ㉡ 부분의 넓이의 합이 10일 때, 사각형 1개의 넓이를 구하시오.

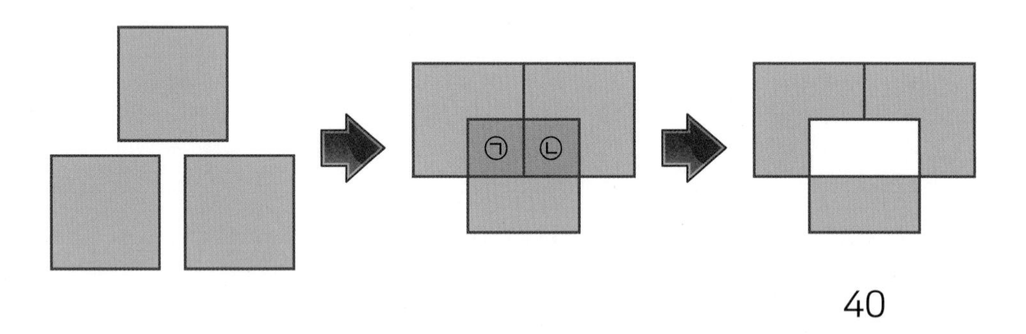

접는 선

03 깜이, 냥이, 송연이가 가위바위보를 합니다. 세 사람 중 적어도 한 명이 이기는 경우는 모두 몇 가지인지 구하시오.

> 세 사람 모두 같은 것을 내거나 모두 다른 것을 내면 비기게 됩니다.

TOP of TOP

04 ㉠, ㉡의 넓이가 같도록 사각형, 원, 삼각형을 겹쳐지게 놓았습니다.

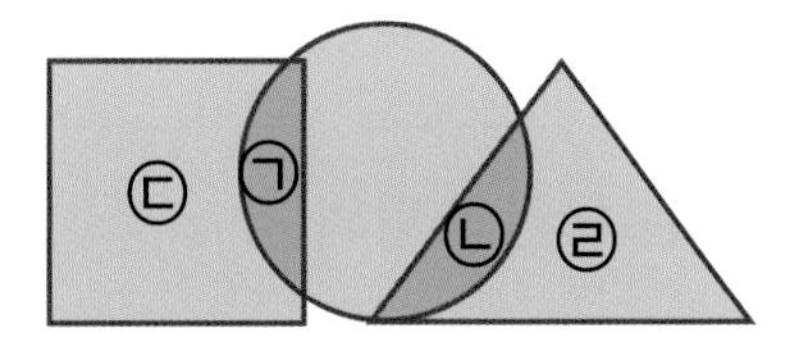

사각형의 넓이가 10, 삼각형의 넓이가 14일 때, ㉢ 부분과 ㉣ 부분의 넓이의 차를 구하시오.

> ㉠과 ㉡의 넓이가 같으므로 삼각형과 사각형의 넓이의 차이는 겹쳐지지 않은 부분의 넓이의 차와 같습니다.

접는 선

TOP 사고력 쑥쑥

학습주제를 시작할 때 학습 날짜를 기록하면서 전체 학습 진도 상황을 체크해 보세요.

B6	단원	학습 주제	학습 날짜
문제해결	1. 간격의 개수와 길이	1-1. 간격의 개수	월/ 일
		1-2. 간격과 길이	월/ 일
	2. 거꾸로 해결하기	2-1. 거꾸로 계산하기	월/ 일
		2-2. 그려서 찾기	월/ 일
		2-3. 거꾸로 전략 찾기	월/ 일
	3. 차 탐구	3-1. 같은 물건의 양의 차	월/ 일
		3-2. 다른 물건의 값의 차	월/ 일
		3-3. 남고 모자라고	월/ 일
	4. 포함과 배제	4-1. 그리고, 또는	월/ 일
		4-2. 중복되는 부분	월/ 일
		4-3. 나머지 부분	월/ 일

1-1. 간격의 개수 | 01~08

01 둘레가 240 m인 호수가 있습니다. 호수의 둘레에 30 m 간격으로 벚꽃나무를 심는다면 모두 몇 그루가 필요한지 구하시오.

! 유형 1-1
30 m를 몇 배 하면 호수의 둘레가 되는지 생각합니다.

02 한 줄의 길이가 50 cm인 가래떡을 한 조각이 5 cm가 되도록 자르려고 합니다. 모두 몇 번 잘라야 하는지 구하시오.

! 유형 1-1
조각의 개수는 간격의 개수보다 1개 더 많습니다.

접는 선

유형 1-2
같은 간격으로 3번 자르면 4조각이 됩니다.

03 같은 크기의 종이 4장을 겹쳐서 일정한 간격으로 3번 자르면 모두 몇 조각이 되는지 구하시오.

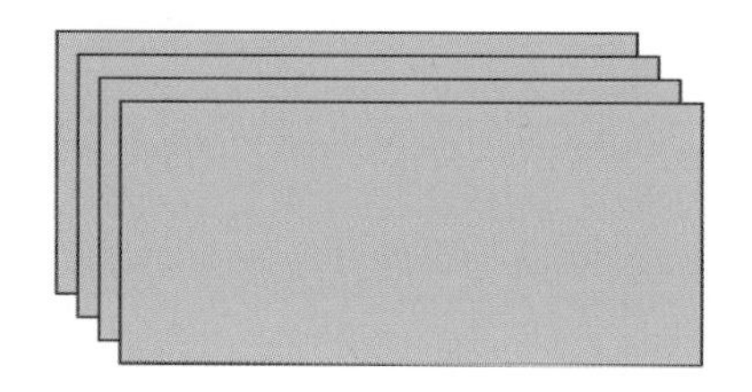

유형 1-2
같은 간격으로 5번 자르면 6조각이 됩니다.

04 같은 크기의 색종이 몇 장을 겹쳐서 일정한 간격으로 5번 잘랐더니 모두 30조각이 되었습니다. 처음에 몇 장의 색종이가 있었는지 구하시오.

접는 선

05 다음 사각형 종이를 한 변이 6 cm인 정사각형으로 남김없이 자를 때, 가로와 세로 방향으로 모두 몇 번 잘라야 하는지 구하시오.

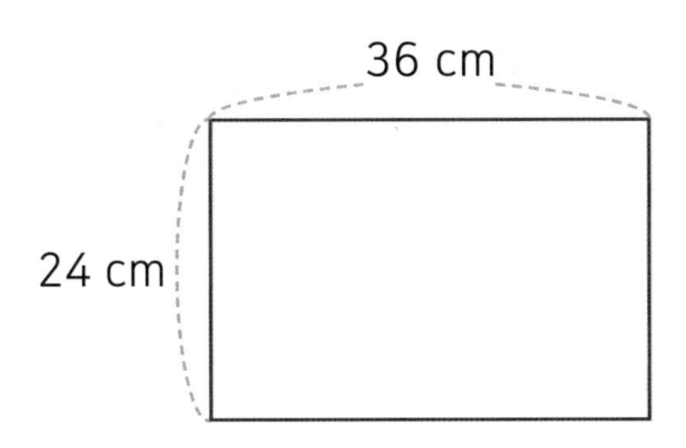

유형 1-2
가로와 세로를 각각 6 cm로 자를 때 나오는 조각의 개수와 간격의 개수를 생각해 봅시다.

06 선분의 시작점에서 끝점까지 빨간색 점을 일정한 간격으로 23개 그렸습니다.

검은색 점 사이의 간격이 빨간색 점 사이의 간격의 2배가 되도록 선분의 시작점에서 끝점까지 검은색 점을 그렸을 때, 검은색 점은 모두 몇 개인지 구하시오.

유형 1-3
검은색 점의 수는 검은색 점 사이에 들어가는 빨간색 점의 개수보다 1개 더 많습니다.

접는 선

유형 1-3

1층부터 3층까지는 30초가 걸렸으므로 한 층 오르는데 15초가 걸립니다.

07 수린이의 집은 7층입니다. 수린이가 일정한 빠르기로 계단을 오르는데 1층에서 3층까지 30초가 걸렸습니다. 같은 빠르기로 수린이가 1층에서 집까지 계단을 오른다면 몇 초가 걸리는지 구하시오.

유형 1-3

유영이는 1분에 1층, 준서는 1분에 2층 올라갑니다.

08 유영이와 준서가 1층에서 동시에 계단을 오르는데 2분 동안 유영이는 3층까지, 준서는 5층까지 올라갔습니다. 유영이가 4층까지 올라갔을 때 준서는 몇 층까지 올라갔을지 구하시오.

접는 선

09 농구는 4쿼터까지 있고 1쿼터당 20분씩 경기를 합니다. 쿼터와 쿼터 사이에 쉬는 시간이 5분이라면 1쿼터부터 4쿼터가 끝날 때까지 걸리는 시간을 구하시오.

> 유형 2-1
> 1쿼터부터 4쿼터까지 쉬는 시간은 총 세 번 있습니다.

10 길이가 7 cm인 띠 8개를 2 cm씩 겹쳐지게 한 줄로 붙였습니다. 붙인 띠 전체의 길이를 구하시오.

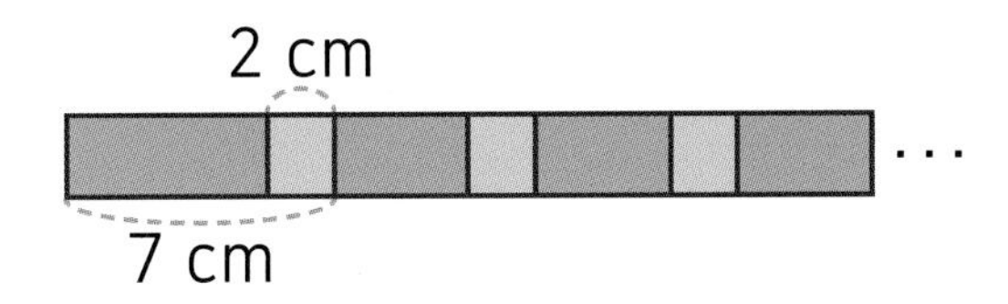

> 유형 2-1
> 띠 8개를 겹쳐지게 한 줄로 붙이면 간격은 7개입니다.

접는 선

유형 2-2

우표가 7장 있으므로 간격의 개수를 알 수 있습니다.

11 가로의 길이가 30 cm인 우표 7장이 있습니다. 일정한 간격에 따라 일렬로 놓는다면 전체 길이가 270 cm가 됩니다. 우표 사이의 간격 1개의 길이를 구하시오.

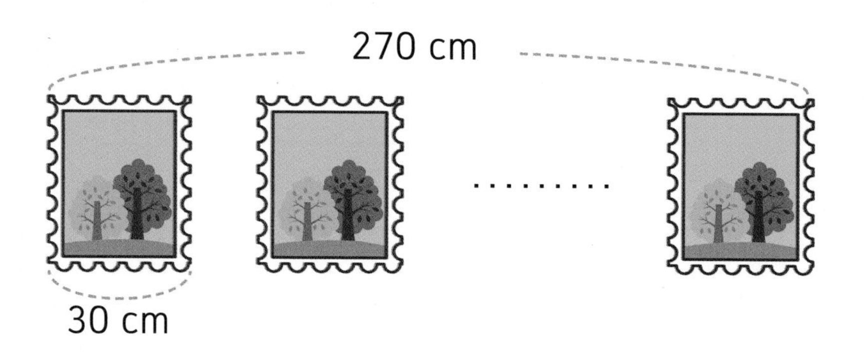

유형 2-2

블록의 양옆은 1 cm로 길이가 같고 블록을 연결하면 겹쳐지는 부분이 생깁니다.

12 길이가 5 cm인 블록을 다음과 같은 방법으로 연결했더니 양 끝 사이의 길이는 23 cm가 되었습니다. 몇 개의 블록을 연결했는지 구하시오.

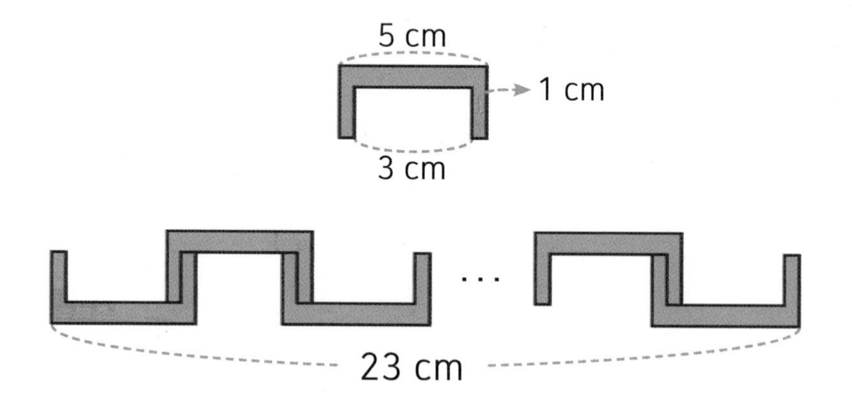

접는 선

13 가로, 세로 길이가 20 cm인 상자를 양옆, 위아래 모두 30 cm 간격으로 놓으려고 합니다.

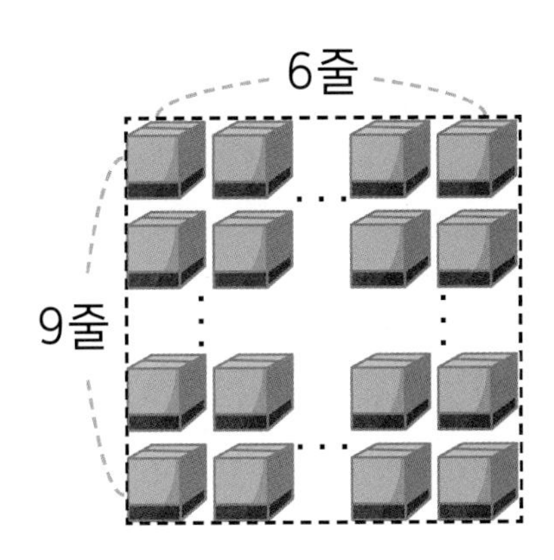

이와 같은 방법으로 상자를 가로 방향으로 6줄, 세로 방향으로 9줄을 놓으니 사각형 모양의 땅이 가득 찹니다. 땅의 둘레를 구하시오.

유형 2-3
가로는 30 cm 간격이 5개 있고 세로는 30 cm 간격이 8개 있습니다.

14 가로, 세로 길이가 10 cm인 색종이 11장을 옆으로 3 cm씩 겹쳐지게 붙였을 때, 색종이의 둘레를 구하시오.

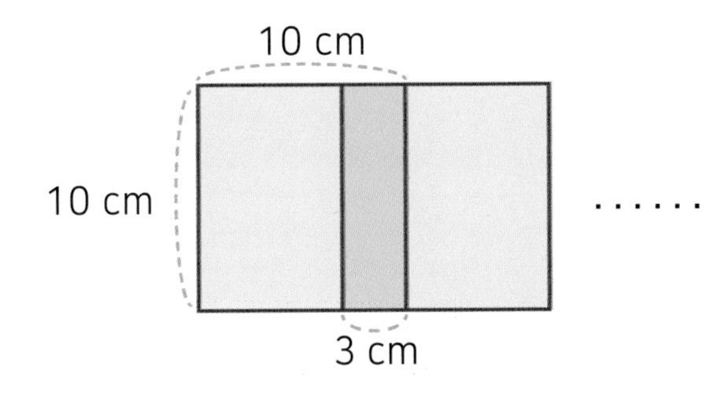

유형 2-3
가로 길이는 겹쳐지는 부분의 길이만큼 빼야합니다.

접는 선

유형 2-3

✧모양은 ◯모양과 비교했을 때 가로 줄, 세로 줄 모두 1개씩 적습니다.

15 ◯모양 사이에 ✧모양을 다음과 같은 방법으로 채웁니다.

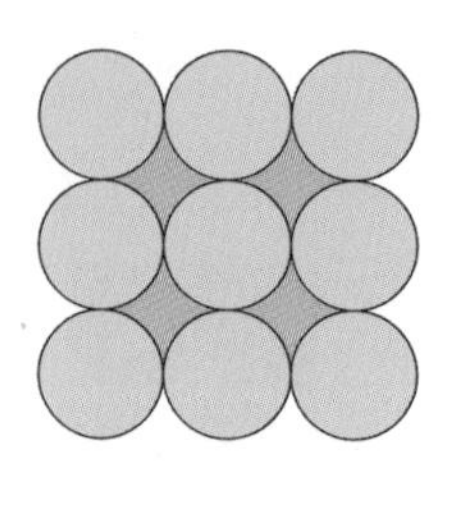

같은 방법으로 ◯모양을 채우니 ◯모양이 가로 방향으로 5줄, 세로 방향으로 9줄 나옵니다. ✧모양의 개수를 구하시오.

유형 2-4

달팽이가 가장 높이 올라간 높이는 매일 5 - 2(m)씩 높아집니다.

16 깊이가 23 m인 우물에 달팽이가 빠졌습니다. 달팽이는 낮 동안 5 m를 오르고, 밤 동안 2 m를 미끄러져 내려옵니다. 달팽이가 며칠째에 우물을 빠져나올 수 있는지 구하시오.

접는 선

2. 거꾸로 해결하기

2-1. 거꾸로 계산하기 | 01~06

01 어떤 수 □에 5를 더한 후 반으로 나누어야 할 것을 잘못하여 5를 빼고 2배 하였더니 8이 되었습니다. 바르게 계산한 값을 구하시오.

! 유형 1-1
거꾸로 계산하려면 먼저 반으로 나누고 5를 더해야 합니다.

02 상자 안에 구슬을 7개 넣고 4개 꺼내야 할 것을 잘못해서 7개 꺼내고 4개 넣었더니 상자 안의 구슬이 11개가 되었습니다. 처음 생각대로 구슬을 넣고 꺼냈다면 상자 안의 구슬은 몇 개가 되었을지 구하시오.

! 유형 1-1
거꾸로 계산하려면 먼저 4개를 빼고 7개를 더해야 합니다.

접는 선

유형 1-1
상자의 규칙을 거꾸로 하면 2배한 후 1을 빼는 것이 됩니다.

03 상자에 수를 넣으면 1을 더한 후 반으로 나눈 수가 나옵니다. 어떤 수를 상자에 두 번 넣으면 3이 나옵니다. 어떤 수를 구하시오.

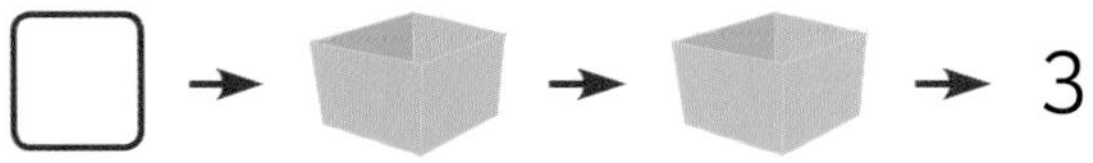

11 → [상자] → 6　　7 → [상자] → 4

□ → [상자] → [상자] → 3

유형 1-1
먼저 초록색 상자의 규칙을 거꾸로 해서 어떤 수를 구합니다.

04 초록색 상자와 노란색 상자에 수를 넣으면 일정한 규칙으로 수가 변합니다.

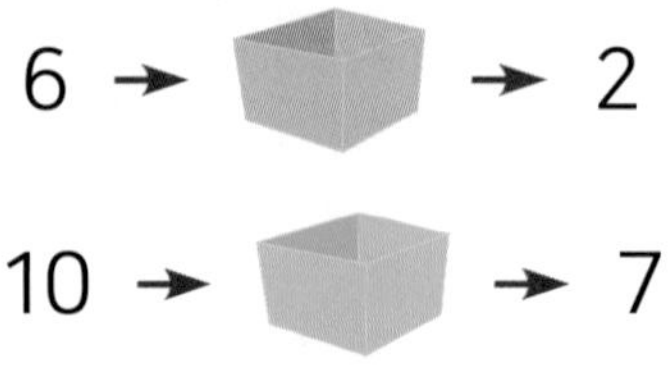

6 → [상자] → 2
10 → [상자] → 7

노란색 상자
: 2를 빼고 반으로 나눕니다.

초록색 상자
: 2을 더하고 5를 뺍니다.

어떤 수를 초록색 상자에 두 번 넣으니 4가 되었습니다. 어떤 수를 노란색 상자에 두 번 넣을 때, 나오는 값을 구하시오.

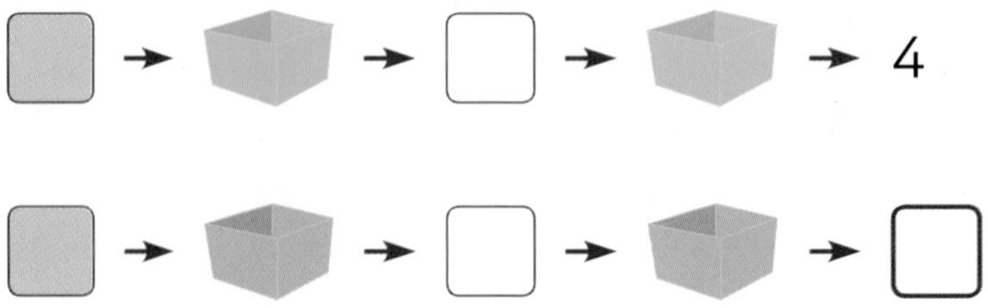

□ → [상자] → □ → [상자] → 4

□ → [상자] → □ → [상자] → □

접는 선

05 한 자리 수가 나올 때까지 십의 자리 숫자와 일의 자리 숫자를 계속 더합니다.

□ 안에 들어갈 수 있는 두 자리 수의 개수를 구하시오.

□ → □ → 1

> **유형 1-2**
> 십의 자리 숫자와 일의 자리 숫자를 더해서 1이 되려면 1+0=1이므로 10이 와야 합니다.

06 십의 자리 숫자와 일의 자리 숫자를 더한 값에 2를 더하는 규칙을 반복합니다.

38 → 13 → 6

□ 안에 들어갈 수 있는 두 자리 수 중에서 가장 작은 수를 구하시오.

> **유형 1-2**
> 규칙을 거꾸로 하여 2를 뺀 수를 구하고 각 자리 숫자를 더하여 그 수를 만들 수 있는지 생각해 봅니다.

접는 선

유형 2-1
딸기의 절반보다 5개를 더 먹고 나서 7개가 남았으므로 5개와 7개를 합하면 나머지 절반이 됩니다.

07 집에 있는 딸기를 절반보다 5개 많이 먹으니 7개가 남았습니다. 처음에 있던 딸기의 개수를 구하시오.

유형 2-1
오전에 물병의 물 절반을 마셨으므로 나머지 절반은 200 mL와 350 mL의 합과 같습니다.

08 물병에 물이 가득 있습니다. 오전에 물병의 물 절반을 마시고 오후에 200 mL를 마셨더니 350 mL의 물이 남았습니다. 처음 물병에 있던 물의 양을 구하시오.

접는 선

09 사탕 20개를 지윤, 수아가 나누어 가졌는데 서로 받은 사탕의 개수가 같지 않아 다음과 같이 사탕을 주고 받았습니다.

① 지윤이가 수아에게 사탕을 7개 주었습니다.
② 수아가 지윤이에게 사탕을 2개 주었습니다.

	지윤	수아
사탕을 옮기기 전		
①번 방법대로 옮긴 후		
②번 방법대로 옮긴 후	10개	10개

지윤이가 처음에 가지고 있던 사탕의 개수를 구하시오.

! 유형2-2
수아가 지윤이에게 2개를 주기 전에 각자 몇 개가 있었는지 먼저 찾아야 합니다.

10 수현이와 철우는 각자 책을 몇 권씩 가지고 있습니다. 수현이가 철우에게 철우가 가진 책의 권수만큼 책을 주었고, 다시 철우가 수현이에게 책을 3권을 주니 둘이 가진 책의 권수가 각자 17권으로 같습니다. 처음에 수현이가 가지고 있던 책의 권수를 구하시오.

	수현	철우
책을 주기 전		
수현이가 책을 준 후		
철우가 책을 준 후	17권	17권

! 유형2-2
철우가 수현이에게 3권을 주기 전 철우는 20권, 수현이는 14권을 가지고 있었습니다.

접는 선

유형 3-1
11번 구슬을 가져가기 전에 8번 구슬을 반드시 가져가야 합니다.

11 두 사람이 한 번씩 번갈아가며 1번 구슬부터 1개 또는 2개를 순서대로 가지고 가는 게임을 합니다. 11번 구슬을 가져가는 사람이 이긴다고 할 때, 먼저 하는 사람이 반드시 이기기 위해 처음에 몇 개를 가져가야 하는지 구하시오.

유형 3-1
18번 칸을 칠하기 위해서는 그 전에 14번 칸을 칠해 4칸을 남겨야 합니다.

12 두 사람이 한 번씩 번갈아가며 1번 칸부터 시작해서 순서대로 칸을 1개, 2개 또는 3개 칠하는 게임을 합니다. 먼저 칠한 사람이 18번 칸을 반드시 칠하기 위해 처음에 칠해야 하는 칸의 개수를 구하시오.

1	2	3	4	5	6	7	8	···	15	16	17	18

접는 선

13 두 사람이 한 번씩 번갈아가며 달력의 날짜에 순서대로 ○표를 하는데, 한 번에 1개 또는 2개 표시할 수 있고 마지막 날짜에 ○표 하는 사람이 이기는 게임을 합니다. 다음 달력으로 게임을 할 때, 먼저 하는 사람과 나중에 하는 사람 중 누가 더 유리한지 구하시오.

일	월	화	수	목	금	토
1	2	3	4	5	6	7
8	9	10	11	12	13	14
15	16	17	18	19	20	21
22	23	24	25	26	27	28
29	30	31				

유형3-1
31일에 ○표 하기 위해서는 그 전에 28일에 ○표를 해야 합니다. 마찬가지로 28일 전에는 어디에 ○표를 해야하는지 생각해 봅시다.

14 한 번씩 번갈아가며 자기 차례에 1개의 조각만 사용할 수 있고 1번부터 채워서 마지막 11번을 채우는 사람이 이깁니다. 단, 두 가지 모양의 퍼즐 조각은 충분히 있습니다.

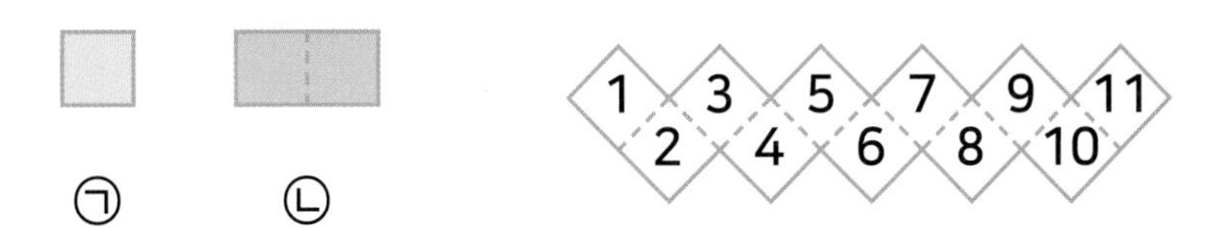

두 사람이 게임을 할 때, 먼저 하는 사람이 반드시 이기려면 처음에 ㉠, ㉡ 중 어떤 조각을 사용해야 하는지 구하시오.

유형3-2
퍼즐 모양은 1칸, 2칸으로 이루어져 있습니다.

접는 선

유형 3-3

퍼즐 모양은 1칸, 2칸, 3칸으로 이루어져 있습니다.

15 세 가지 모양의 퍼즐 조각은 충분히 있습니다. 한 번씩 번갈아가며 자기 차례에 1개의 조각만 사용할 수 있고 1번부터 채워서 마지막 35번을 채우는 사람이 이깁니다.

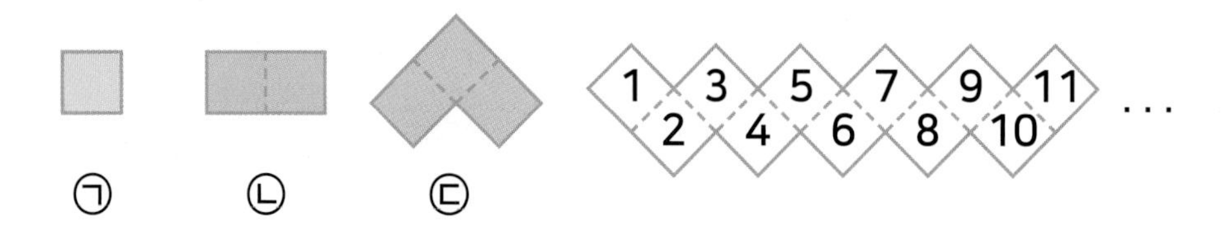

두 사람이 게임을 할 때, 먼저 하는 사람이 반드시 이기려면 처음에 ㉠, ㉡, ㉢ 중 어떤 조각을 사용해야 하는지 구하시오.

유형 3-3

이기기 위해서는 마지막에 반드시 5개를 남겨둬야 합니다.

16 쌓기나무 22개가 있습니다. 두 사람이 한 번씩 번갈아가며 1개, 2개, 3개 또는 4개를 가져갈 수 있고 마지막 쌓기나무를 가져가는 사람이 이깁니다. 먼저 하는 사람이 반드시 이기려면 처음에 쌓기나무를 몇 개 가지고 가야 하는지 구하시오.

접는 선

3-1. 같은 물건의 양의 차 | 01~06

01 길이가 36 cm인 막대를 잘라서 길이의 차가 14 cm인 막대 2개를 만들었습니다. 긴 막대와 짧은 막대의 길이를 각각 구하시오.

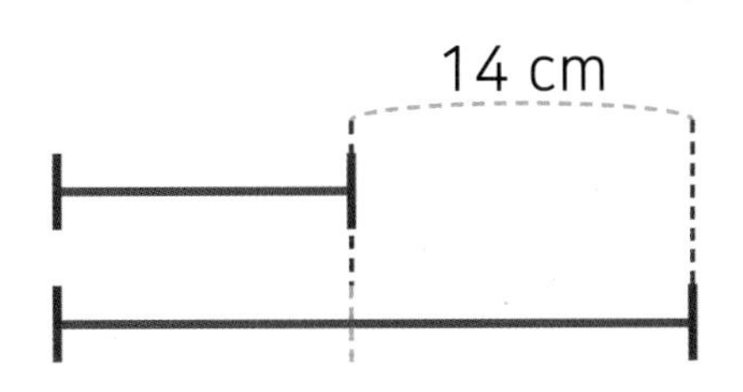

! 유형1-1
두 막대의 길이가 같아지려면 길이의 차이만큼 빼야 합니다.

02 길이가 서로 다른 두 막대가 있습니다. 두 막대의 길이의 차는 4 cm이고 두 막대의 길이의 합은 88 cm일 때, 짧은 막대의 길이를 구하시오.

! 유형1-1
긴 막대에서 두 막대의 차를 빼면 두 막대의 길이는 같아집니다.

접는 선

유형 1-1
초록색 상자에 10개의 사탕을 먼저 넣으면 10개의 차이를 만들 수 있습니다.

03 28개의 사탕을 두 상자에 나누어 담았더니 초록색 상자에 사탕이 10개 더 들어 있습니다. 파란색 상자에 들어 있는 사탕의 개수를 구하시오.

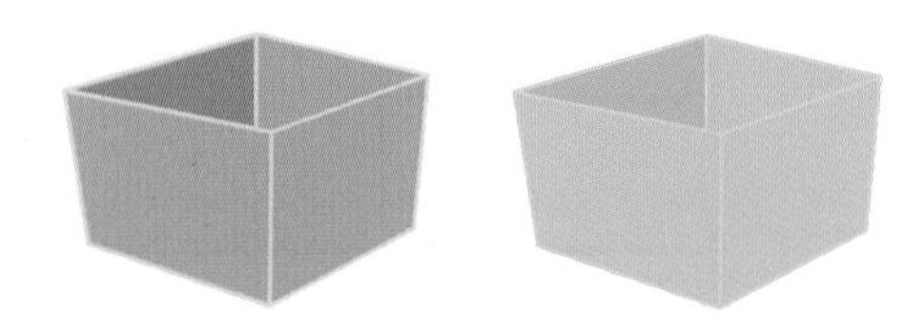

유형 1-2
주스 절반의 무게는 2400 g에서 1500 g을 빼면 알 수 있습니다.

04 주스를 가득 담은 컵의 무게는 2400 g입니다. 주스를 절반 마신 후 컵의 무게를 재어 보니 1500 g일 때, 컵의 무게를 구하시오.

접는 선

05 딸기 2개와 바나나 3개의 가격이 3200원, 딸기 2개와 바나나 4개의 가격이 4200원일 때, 딸기 1개의 가격을 구하시오.

유형 1-2
바나나 1개를 더 사면서 가격이 1000원 올랐으므로 바나나 1개의 가격은 1000원입니다.

06 인형 1개와 장난감 2개의 가격이 4300원이고 인형 1개와 공책 2개의 가격이 2300원입니다. 장난감 가격이 공책 가격의 두 배일 때, 인형 1개의 가격을 구하시오.

유형 1-2
공책 2개를 사면 장난감 2개를 살 때보다 2000원이 싸므로 공책 1개는 장난감 1개보다 1000원이 더 쌉니다.

접는 선

유형 2-1
노란색 부분과 파란색 부분의 점수 차이는 2점입니다.

07 다트의 노란색 부분에 화살을 맞히면 □점을 얻고, 파란색 부분에 맞히면 △점을 얻습니다. 노란색 부분의 점수 □를 구하시오.

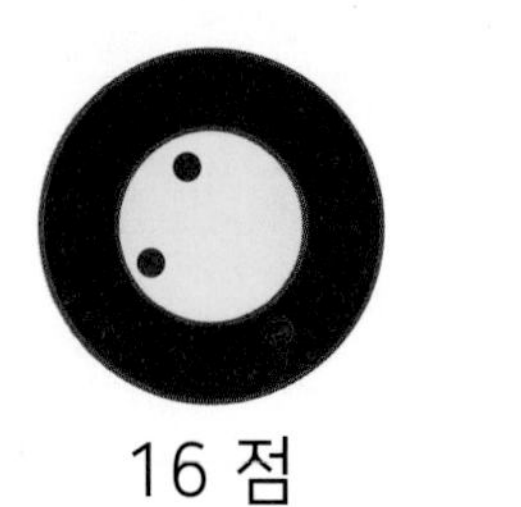

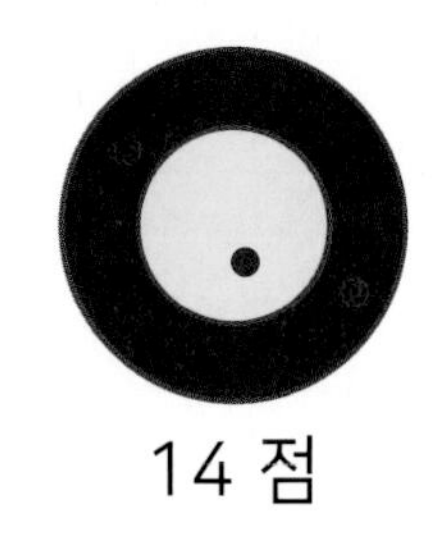

유형 2-1
연필 2개를 지우개 2개로 바꾸었을때 8 cm가 짧아집니다.

08 다음 그림을 보고 연필이 지우개보다 몇 cm 더 긴지 구하시오.

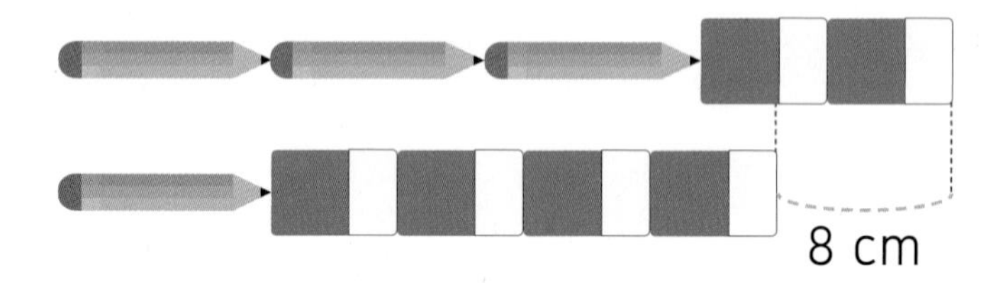

접는 선

09 같은 과일은 같은 수를 나타내고 다른 과일은 다른 수를 나타낼 때, 는 얼마인지 구하시오.

+ + + = 20

+ + + = 24

유형 2-2

는 보다 4만큼 더 큽니다.

10 같은 모양은 같은 수를 다른 모양은 다른 수를 나타냅니다. 빨간색 묶음 안에 있는 수의 합은 16이고 초록색 묶음 안에 있는 수의 합은 13일 때, 모양이 나타내는 수를 구하시오.

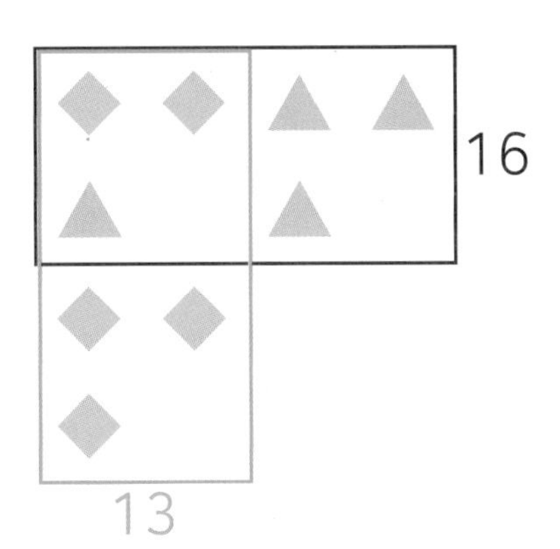

유형 2-2

모양 3개와 모양 3개의 차는 3입니다.

접는 선

유형 2-3
각각의 세로줄에는 4가지 모양이 1개씩 있습니다.

11 표 오른쪽의 수는 가로줄에 있는 모양이 나타내는 수의 합입니다. 같은 모양은 같은 수를, 다른 모양은 다른 수를 나타낼 때, □ 안에 알맞은 수를 써넣으시오.

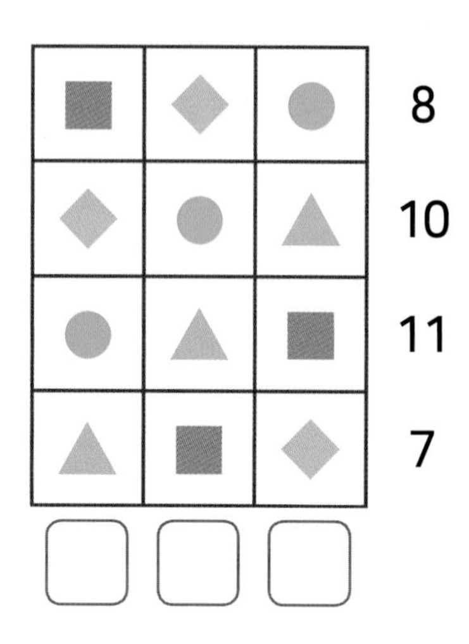

유형 2-3
각각의 가로줄에는 4가지 모양이 1개씩 있습니다.

12 표 아래쪽의 수는 세로줄에 있는 모양이 나타내는 수의 합입니다. 같은 모양은 같은 수를, 다른 모양은 다른 수를 나타낼 때, ◆모양이 나타내는 수를 구하시오.

☆	◆	♡	♣
♣	☆	◆	♡
♡	♣	☆	◆
16	14	12	18

접는 선

13 같은 개수의 70 g짜리 추와 40 g짜리 추가 있습니다. 책의 무게는 70 g짜리 추 전부를 사용한 것보다 20 g이 더 무겁고, 40 g짜리 추 전부를 사용한 것보다 140 g이 더 무겁습니다. 책의 무게를 구하시오.

유형3-1
70 g짜리 추를 사용할 때와 40 g짜리 추를 사용할 때의 차는 120 g입니다.

14 지은이가 모은 얼마의 돈으로 같은 개수의 오이 또는 감자를 사려고 합니다. 한 개에 800원인 오이를 사면 1500원이 모자라고, 한 개에 500원인 감자를 사면 600원이 남을 때, 지은이가 모은 돈은 얼마인지 구하시오.

유형3-1
같은 개수를 사더라도 가격이 다르기 때문에 금액은 2100원 차이가 납니다.

접는 선

유형 3-2
연필 낱개의 길이 차이는 2 cm이고 연결한 연필의 차이는 12 cm입니다.

15 같은 개수의 6 cm 연필과 8 cm 연필이 있습니다. 6 cm 연필 전부를 이어붙였더니 책상보다 5 cm가 짧고, 8 cm 연필 전부를 이어붙였더니 책상보다 7 cm가 길었을 때, 책상의 길이를 구하시오.

유형 3-2
먼저 상자가 몇 개인지 구해야 합니다. 1개씩 더 담을 때, 과자 3개 가 더 필요합니다.

16 엄마가 만든 과자 전부를 가지고 있는 몇 개의 상자에 담으려고 합니다. 상자 하나에 3개씩 담으니 2개가 남고, 4개씩 담으니 1개가 부족할 때, 과자의 개수를 구하시오.

접는 선

4-1. 그리고, 또는 | 01~04

01 소영이네 반 학생들 중 과자를 먹은 학생들은 10명, 사탕을 먹은 학생들은 9명, 둘 다 먹은 학생들은 2명, 둘 다 먹지 않은 학생은 6명입니다. 벤 다이어그램의 ①, ②, ③, ④ 부분에 학생 수를 적고, 반 전체는 몇 명인지 구하시오.

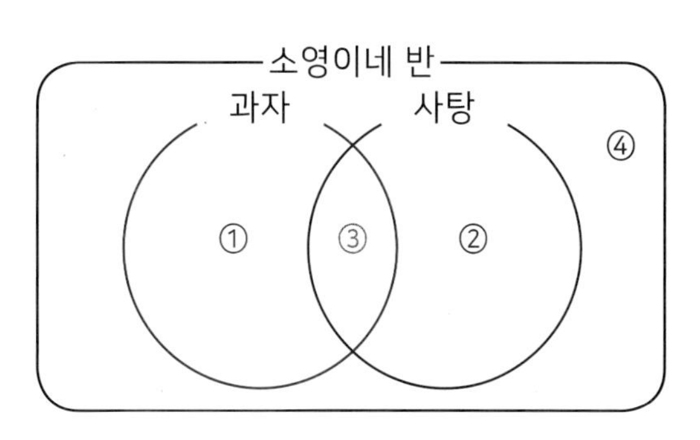

유형 1-1
③에는 둘 다 먹은 학생들이 들어갑니다.

02 도형이 모두 30개 있습니다. 이 중 삼각형이 13개, 파란색 도형이 11개 있습니다. 파란색 삼각형의 개수가 8개라면 삼각형도 아니고 파란색도 아닌 도형은 모두 몇 개인지 구하시오.

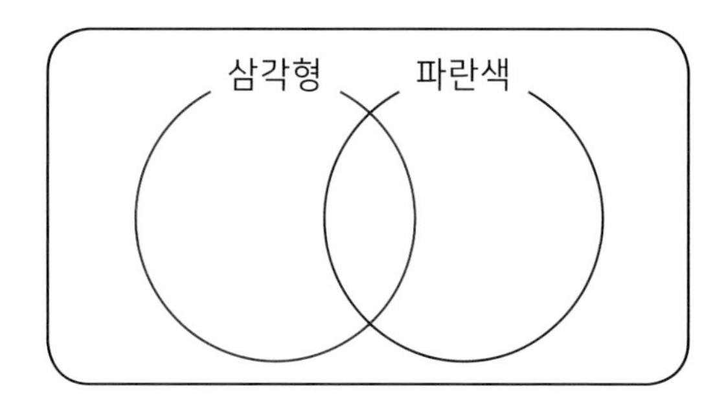

유형 1-1
문제에서 주어진 부분의 벤 다이어그램을 채운 후 남은 부분을 채워 봅니다.

접는 선

유형 1-1

육각형이면서 빗금무늬인 경우를 두 번 세지 않도록 주의합니다.

03 아래의 모양 중 육각형 또는 빗금무늬인 것의 개수를 구하시오.

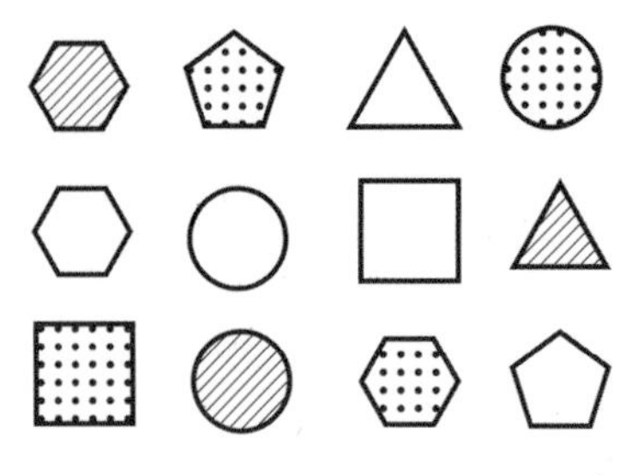

유형 1-1

4의 배수이면서 7의 배수인 수는 28 입니다.

04 1부터 30까지의 수 중 4의 배수이거나 7의 배수인 수의 개수를 구하시오.

접는 선

05 넓이가 12인 사각형과 넓이를 알 수 없는 원이 다음과 같이 겹쳐져 있습니다. 겹쳐진 부분의 넓이는 2이고 겹쳐진 도형의 넓이는 18일 때, 원의 넓이를 구하시오.

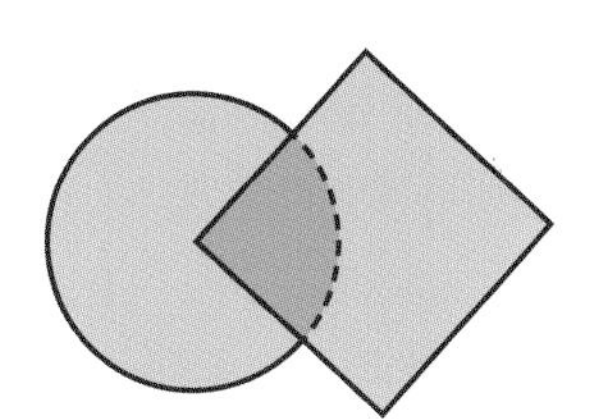

유형2-1
겹쳐진 도형의 넓이는 두 도형의 넓이의 합에서 겹쳐진 부분을 뺀 것과 같습니다.

06 크기와 모양이 같은 사각형 3개를 겹쳤더니 겹쳐진 부분의 넓이의 합은 8이고, 겹쳐진 도형의 넓이는 22가 되었습니다. 사각형 1개의 넓이를 구하시오.

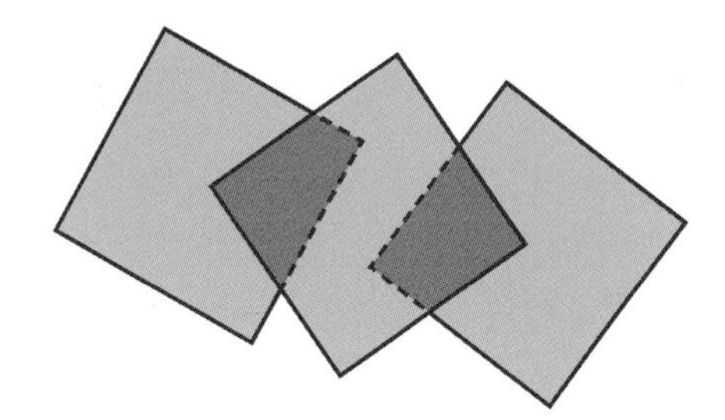

유형2-1
사각형 3개의 넓이의 합에서 겹쳐진 부분의 넓이를 빼야 겹쳐진 도형의 넓이를 구할 수 있습니다.

접는 선

유형 2-2

겹쳐진 도형의 넓이는 두 도형의 넓이의 합에서 겹쳐진 부분을 뺀 것입니다.

07 사각형의 넓이는 삼각형의 넓이의 두 배입니다. 두 도형의 겹쳐진 부분의 넓이는 2이고 겹쳐진 도형의 넓이는 28일 때, 삼각형의 넓이를 구하시오.

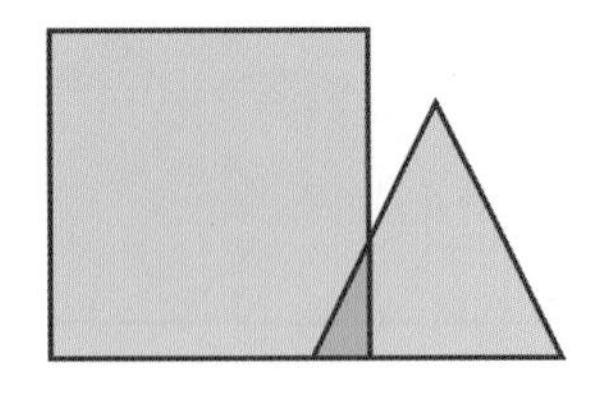

유형 2-3

파란색 원 바깥에 있는 수는 빨간색 원 안의 수의 합을 구하는 식에는 들어가지만 파란색 원 안의 수의 합을 구하는 식에는 들어가지 않습니다.

08 빨간색 원 안에 파란색 원이 있습니다. 빨간색 원 안의 수의 합을 □, 파란색 원 안의 수의 합을 △라 할 때, □-△를 구하시오.

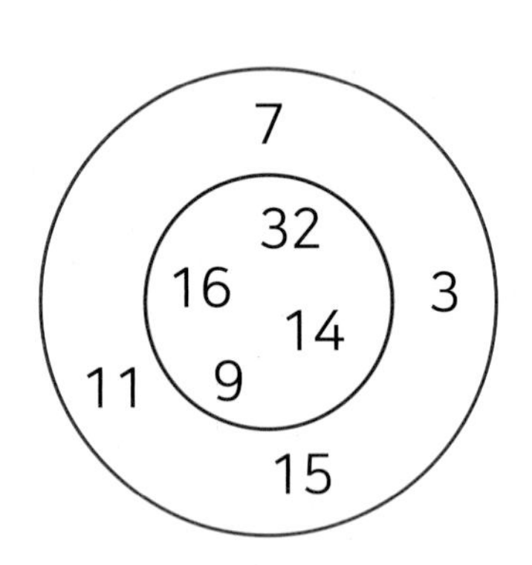

접는 선

09 여러 개의 수가 들어 있는 빨간색 원과 파란색 원을 서로 겹쳐지게 놓았습니다. 빨간색 원 안의 수의 합을 ㉠, 파란색 원 안의 수의 합을 ㉡이라 할 때, ㉠과 ㉡의 차를 구하시오.

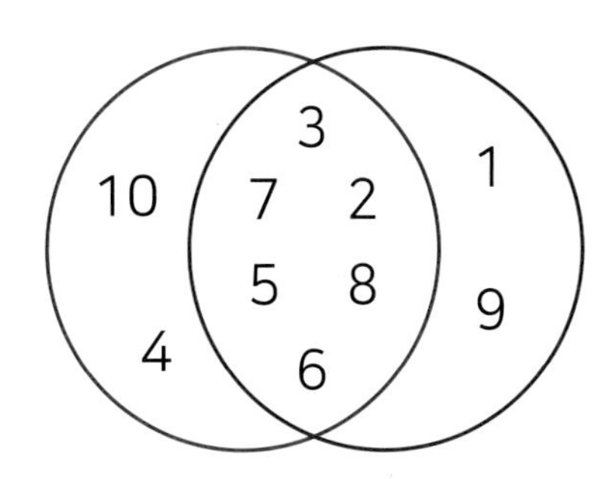

> 유형2-3
> 겹쳐진 부분의 수는 ㉠을 만드는 식과 ㉡을 만드는 식에 모두 들어갑니다.

10 분홍색 도형 안의 수의 합은 ㉠, 원 안의 수의 합은 ㉡입니다. ㉠과 ㉡의 차를 구하시오.

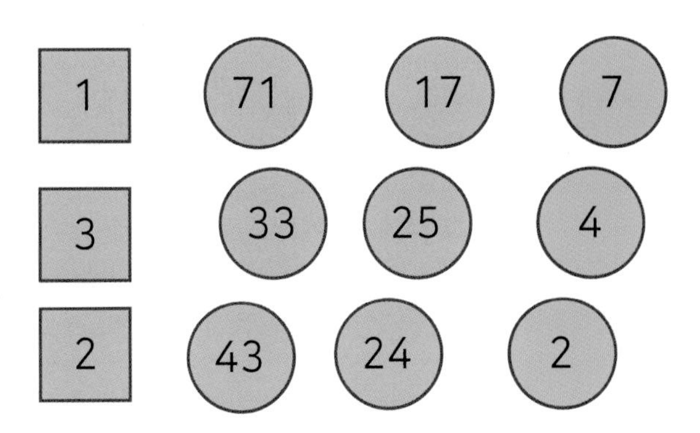

> 유형2-3
> 분홍색 원 안에 들어있는 수는 ㉠을 만드는 식과 ㉡을 만드는 식에 모두 들어갑니다.

접는 선

유형 3-1
'시'를 나타내는 부분과 '분'을 나타내는 부분이 같은 경우를 먼저 구해 봅니다.

11 디지털시계는 '시'를 나타내는 부분과 '분'을 나타내는 부분으로 나뉩니다.

9시부터 10시 30분까지의 시각 중 '시'를 나타내는 부분과 '분'을 나타내는 부분이 서로 다른 경우는 모두 몇 번 있는지 구하시오.

유형 3-1
9월, 11월은 30일까지 있고 10월, 12월은 31일까지 있습니다.

12 디지털달력은 '월'을 나타내는 부분과 '일'을 나타내는 부분으로 나뉩니다. 9~12월 중 '월'을 나타내는 부분과 '일'을 나타내는 부분이 서로 다른 날의 개수를 구하시오.

접는 선

13 문구점에서 연필 1개와 지우개 1개를 사려고 합니다. 연필은 HB, 2B, 4B가 있고 지우개는 네모, 세모, 동그라미 모양이 있습니다. 4B 연필과 세모 지우개 둘 중 적어도 한 개는 포함될 수 있도록 사는 방법은 모두 몇 가지인지 구하시오.

유형3-2
4B 연필과 세모 지우개 둘 다 사지 않는 방법을 생각해 봅니다.

14 라임이네 집에서 승호네 집으로 가려면 놀이터를 지나가야 합니다.

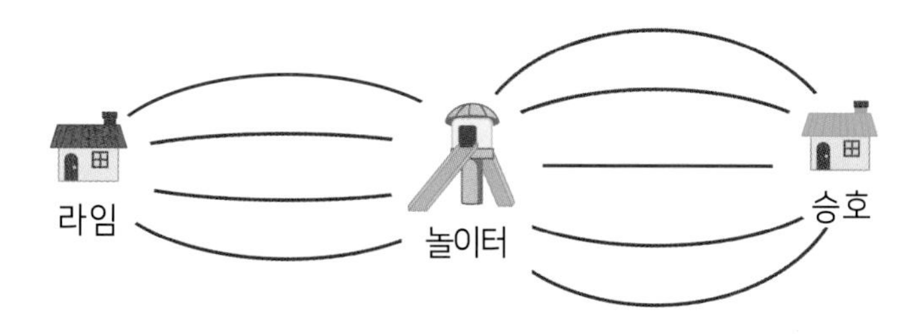

라임이네 집에서 적어도 하나의 빨간색 길을 들러 승호네 집으로 가는 방법은 몇 가지 있는지 구하시오. 단, 반대 방향으로 되돌아 가지 않습니다.

유형3-2
라임이네 집에서 승호네 집으로 가는 방법은 모두 20가지입니다.

접는 선

유형 3-2
곱셈식에 적어도 한 개의 2가 들어가면 곱한 값은 짝수가 됩니다.

15 왼쪽에서 시작해서 오른쪽으로 점 3개를 연결하는 선을 그리면서 지나가는 점 옆의 수를 곱하는 식을 만듭니다.

1 •	1 •	1 •
2 •	2 •	2 •
3 •	1 •	3 •

식의 값이 짝수가 되도록 선을 그리는 방법은 모두 몇 가지인지 구하시오.

유형 3-2
동전 3개를 던져 나올 수 있는 경우는 모두 8가지입니다.

16 동전 3개를 던져 뒷면이 1개보다 많이 나오면 선물을 줍니다. 선물을 받을 수 있는 방법은 몇 가지인지 구하시오.

접는 선

예비 활동 가이드 정답 및 풀이

예비 활동 가이드

- 다양한 활동 방법 제시
- 예비 활동을 위한 활동 자료
- 본문의 이해를 돕는 예비 학습

정답 및 풀이

- 상세한 풀이 수록

사고력 수학

문제해결

B6

초2 · 초3

천종현수학연구소

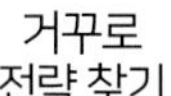

거꾸로 해결하기 - 3.거꾸로 전략 찾기

님게임은 두 사람이 한 번씩 번갈아가며 동전이나 구슬 등을 정해진 개수만큼 가져가는 게임입니다. 님게임은 처음 주어진 개수, 가져갈 수 있는 개수 또는 마지막 남은 1개를 가져가는 사람이 이기느냐 지느냐에 따라 먼저 하는 사람이나 나중에 하는 사람이 반드시 이기는 전략이 있는 게임입니다. 따라서 이기기 위한 전략을 거꾸로 생각해 볼 수 있습니다.

동전 가져가기

<활동 목표>

동전을 서로 가져가면서 이기기 위해 어떤 전략을 세워야 하는지 거꾸로 생각해 봅니다.

<활동 방법>

① 동전 30개를 준비합니다.

② 두 사람이 순서를 정하고 한 번씩 번갈아가며 동전을 1개, 2개 또는 3개 가져갑니다. 적어도 동전 1개는 반드시 가져가야 합니다.

③ 마지막 남은 동전을 가져가는 사람이 이깁니다.

동전 대신 구슬이나 지우개 등으로 해도 무방합니다. 게임에 익숙해지면 동전의 전체 개수를 바꾸거나 한 번에 가져갈 수 있는 동전의 개수를 조절할 수도 있습니다. 마지막 동전을 가져가는 사람이 지는 것으로 변형도 가능합니다. 다양한 방법으로 활동을 해보면서 조건에 만는 승리 전략을 생각해봅시다.

정답

1. 간격의 개수와 길이

9쪽

나무 막대를 톱으로 잘라 여러 도막으로 나눕니다.

20개의 도막을 만들려면 톱질을 몇 번 해야 하는지 구하시오. 19번

10쪽

길이가 10 cm인 사각형에 일정한 간격으로 선을 그리면 길이가 1 cm인 사각형 10개가 만들어집니다. 선을 몇 개 그리면 되는지 구하시오. 9개

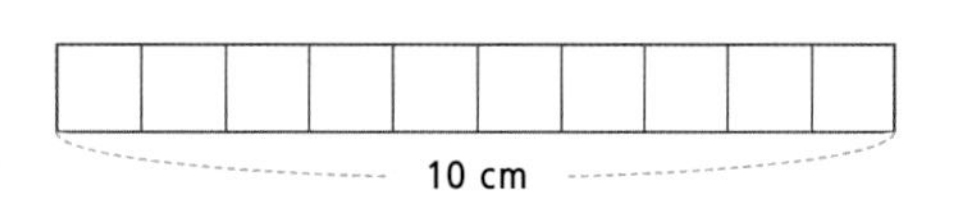

[풀이] 선을 하나 그릴 때마다 사각형이 1개씩 늘어납니다.

끈을 10번 자르면 몇 개의 도막이 생기는지 구하시오. 11개

[풀이] 한 번 자를 때마다 도막이 한 개씩 늘어납니다.

11쪽

일정한 간격으로 놓인 점 사이를 이어 선분을 그렸습니다.

□ 안에 선분의 개수를 써넣으시오.

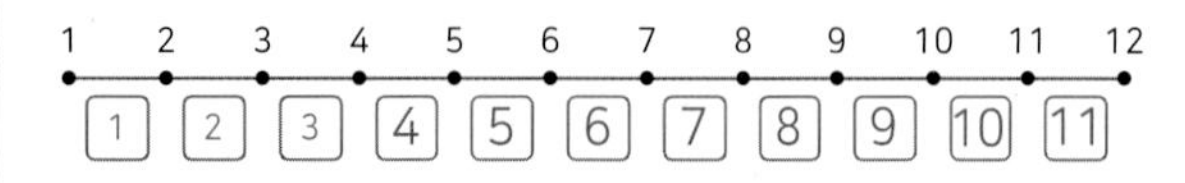

이웃한 점을 잇는 선분의 개수와 점의 개수를 비교하시오.

선분의 개수가 점의 개수보다 한 개 더 적다.

[풀이]

이웃한 두 점 사이의 간격의 개수와 선분의 개수는 같습니다. 점의 개수가 12개이므로 간격의 개수는 11개입니다.

8개의 띠를 일정한 간격으로 겹쳐 붙였습니다. 처음 한 장의 띠에서 차례대로 한 장씩 붙일 때마다 늘어나는 겹쳐진 부분의 개수를 생각해 봅시다.

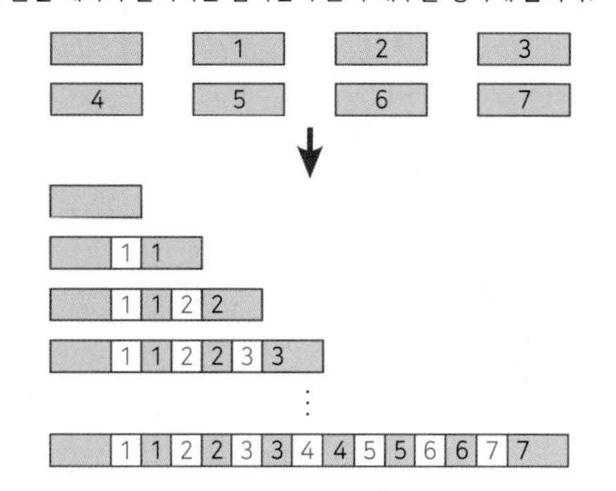

겹쳐진 부분의 개수와 띠의 개수를 비교하시오.

겹쳐진 부분의 개수는 띠의 개수보다 한 개 더 적다.

[풀이]

띠를 겹칠 때마다 겹쳐진 부분이 한 개씩 생깁니다. 8개의 띠는 7번 겹쳐지고 겹쳐진 부분의 개수는 전체 띠의 개수보다 1개 적습니다.

12쪽

탐구 유형 1-1 끈 자르기

[정답] (1) 4번 (2) 5번

[풀이]

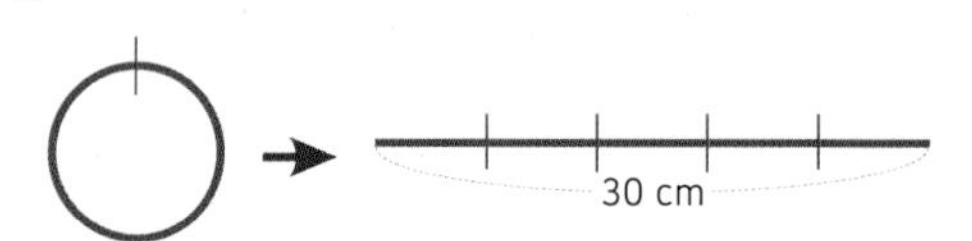

30은 6의 5배이므로 남김없이 5조각을 만들 수 있습니다. 원을 1번 잘라 곧은 끈을 만든 뒤에 4번 더 잘라야 길이가 6 cm인 끈 5개를 만들 수 있습니다.

01

[정답] 5명

[풀이] 100은 20의 5배이므로 간격의 개수는 5개입니다.

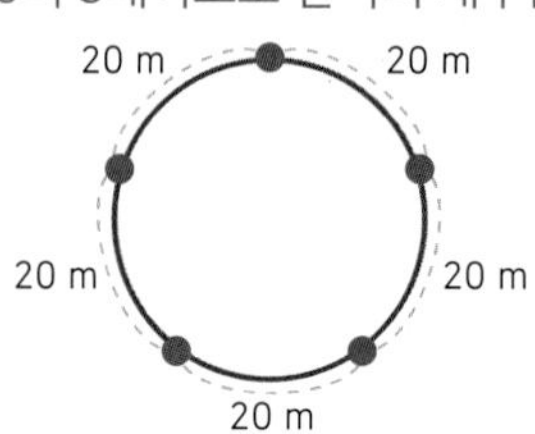

13쪽

탐구 유형 1-2 **겹쳐 자르기**

[정답] (1) 5조각 (2) 35조각

[풀이]
종이띠 1개를 한 번 자를 때마다 1조각이 새로 생기므로 종이띠 1개를 4번 자르면 5조각이 됩니다. 종이띠 7개를 겹쳐 같은 방법으로 자르면 35(=5×7)조각이 됩니다.

01
[정답] 24조각

[풀이]
당근 1개를 한 번 자를 때마다 1조각이 새로 생기므로 당근 1개를 5번 자르면 6조각이 됩니다. 당근 4개를 겹쳐 같은 방법으로 자르면 24(=6×4)조각이 됩니다.

14쪽

02
[정답] 18개

[풀이]
그림 한 장을 붙일 때 필요한 압정의 개수는 위쪽과 아래쪽이 같습니다. 그림 8장을 붙일 때 위쪽에 필요한 압정의 개수는 2×8=16(개)에서 겹쳐진 부분 7개를 뺀 9개와 같습니다. 따라서 위쪽과 아래쪽에 9개씩 9×2=18(개)가 필요합니다.

[다른 풀이]
그림 한 장을 붙일 때 필요한 압정은 4개이고 그림 8장을 붙이면 4×8=32(개)의 압정이 필요합니다. 겹쳐진 부분의 개수는 7개이므로 2×7=14(개)의 압정을 빼주면 32-14=18(개)입니다.

03
[정답] 8번

[풀이]
가로 방향으로 3번, 세로 방향으로 5번 자릅니다.

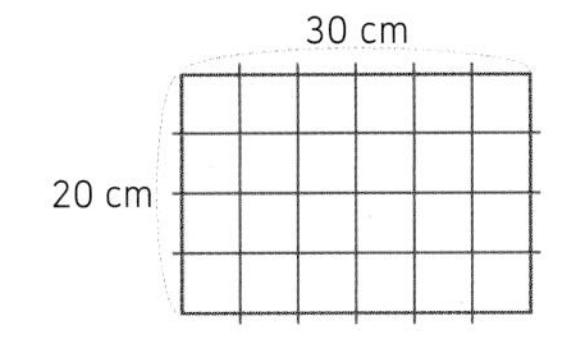

15쪽

탐구 유형 1-3 **계단 오르기**

[정답] (1) 4층 (2) 8층 (3) 9층

[풀이]
수빈이가 4개의 층을 오르는 동안 진수는 8개의 층을 오를 수 있으므로 진수는 9층에 있습니다.

01
[정답] 19개

[풀이]

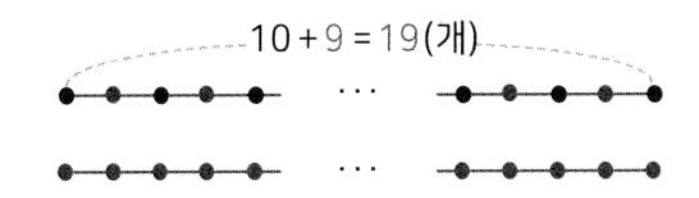

검은색 점의 개수는 10개이므로 검은색 점 사이의 간격의 개수는 9개입니다. 검은색 점 사이의 간격마다 점을 한 개씩 더 그리면 검은색 점의 개수와 빨간색 점의 개수가 같아집니다.

16쪽

02
[정답] 5그루

[풀이]

처음에 꽃과 나무를 하나씩 심습니다. 꽃 2송이를 심을 때마다 나무를 1그루 심어야 나무와 나무 사이의 간격은 꽃과 꽃 사이의 간격의 2배가 됩니다.

03
[정답] 17걸음

[풀이]
큰 돌 사이에 생기는 간격의 개수는 5개입니다. 간격마다 작은 돌맹이를 2개씩 놓기 때문에 작은 돌맹이의 개수는 10(=5×2)개 입니다.
개울의 시작과 끝 사이에 놓인 돌맹이의 개수는 16(=6+10)개입니다. 시작과 끝을 포함한 18군데의 사이인 17걸음을 걸으면 개울가를 건널 수 있습니다.

17쪽

탐구주제 2 간격과 길이

탐구 유형 2-1 **한 줄로 놓은 길이**

[정답] (1) 3개 (2) 150 cm (3) 600 cm (4) 750 cm

[풀이]

(1) 탁자 4개를 놓으면 그보다 1개 적은 3개의 간격이 생깁니다.

(2) 50 + 50+50 = 150(cm)

(3) 150 + 150+150+150 = 600(cm)

(4) 600+150 = 750(cm)

[다른 풀이]

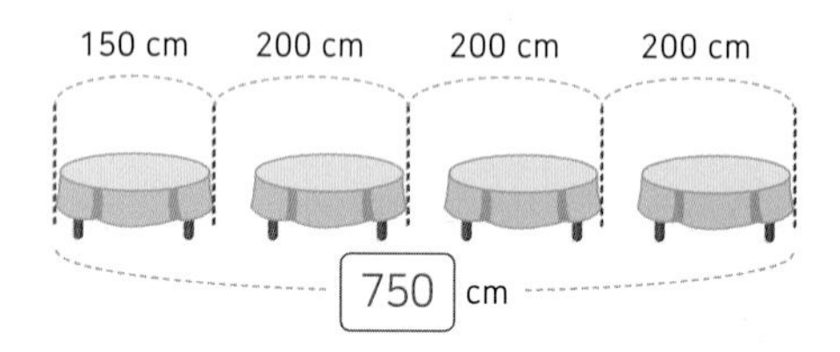

탁자 4개를 놓으면 그보다 1개 적은 3개의 간격이 생깁니다. 탁자 하나를 더 놓을 때마다 탁자를 한 줄로 놓은 길이가 50+150=200(cm)씩 길어집니다.
150 + 200+200+200 = 750(cm)가 됩니다.

연습 01

[정답] 오후 1시 30분(13시 30분)

[풀이]
1교시부터 4교시까지 수업은 4번이고 쉬는시간은 3번이 있습니다. 따라서 4교시 수업이 끝날 때까지 4시간 30분이 걸립니다. 1교시의 시작이 9시이므로 4교시가 끝나면 오후 1시 30분(=13시 30분)이 됩니다.

18쪽

연습 02

[정답] 31 cm

[풀이]
띠의 길이는 4 cm이지만 1 cm씩 겹쳐 붙이기 때문에 1개 더 붙일 때마다 전체 길이는 3 cm 길어집니다. 9개를 더 붙이면 전체 길이는 27(= 3 × 9) cm 길어져 31 cm가 됩니다.

연습 03

[정답] 77분(=1시간 17분)

[풀이]
1층 더 청소 할 때마다 3분(쉬는 시간) + 5분(청소 시간) = 8분 더 걸립니다. 9개의 층을 더 청소하면 72(=8×9)분이 걸리므로 10층까지 청소한다면 5 + 72 = 77(분) (=1시간 17분)이 걸립니다.

연습 03

[정답] 6개

[풀이]
문제와 같이 의자를 놓은 상태에서 의자를 하나씩 뺄때마다 의자를 한 줄로 놓은 길이는
1 m 50 cm(의자 길이) + 50 cm(간격 길이) = 2 m씩 짧아집니다. 11 m 50 cm - 2 m - 2 m - 2 m - 2 m - 2 m = 1 m 50 cm이므로 의자 5개를 치우면 의자가 1개만 남습니다. 산책로에 놓은 의자의 개수는 6개입니다.

19쪽

탐구 유형 2-2 **한 줄로 블록 쌓기**

[정답]

(1) 20 cm, 19 cm, 18 cm

(2) 58 cm

[풀이]

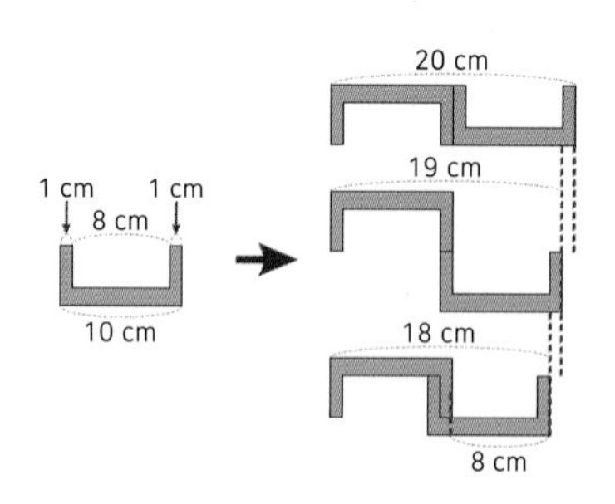

블록 하나를 더 연결할 때마다 전체 길이가 8 cm씩 길어집니다. 블록 1개에 6개를 더 연결한 블록 7개의 길이는
10 + 48(= 8 × 6) = 58(cm)입니다.

01

[정답] 14칸

[풀이]
블록을 겹치지 않고 옆으로 붙여서 연결한다면 6개의 블록의 길이는 24칸이 됩니다. 한 번 겹쳐질 때마다 2칸씩 줄어들고 5번 겹쳐지므로 겹쳐진 후의 전체 길이는 24-10=14(칸)이 됩니다.

20쪽

02

[정답] 29 cm

[풀이]
겹쳐지는 부분의 길이가 2 cm 이므로 고리를 하나 더 연결할 때마다 3 cm씩 길어집니다. 고리 9개를 연결한 길이는
5 + 24(= 3 × 8) = 29(cm)입니다.

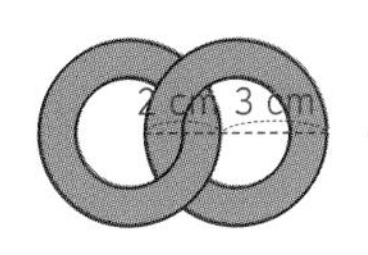

...

03

[정답] 8개

[풀이]
겹쳐지는 부분의 길이가 2 cm이므로 블록 하나를 빼낼 때마다 전체 길이가 8 cm 짧아집니다.
66 - 8 - 8 - 8 - 8 - 8 - 8 - 8 = 10(cm)이므로 블록 7개를 빼내면 블록 하나만 남아 연결한 블록의 개수는 8개입니다.

21쪽

탐구 유형 2-3 **색종이의 둘레**

[정답] (1) 7, 7 (2) 31, 38 (3) 138 cm

[풀이]
겹쳐지는 부분의 길이가 3 cm 이므로 가로 방향으로 붙여도 가로 길이가 7 cm 늘어나고 세로 방향으로 붙여도 세로 길이가 7 cm 늘어납니다. 가로로 4줄, 세로로 5줄 붙이면
가로 길이: 10 + 21(= 7 × 3) = 31(cm)
세로 길이: 10 + 28(= 7 × 4) = 38(cm)입니다. 사각형의 둘레는 31 + 31 + 38 + 38 = 138(cm)입니다.

22쪽

01

[정답] 28 m

[풀이]
간격의 길이가 50 cm이므로 상자를 가로 방향으로 하나 더 놓으면 가로 길이가 1 m 늘어나고 세로 방향으로 하나 더 놓아도 세로 길이가 1 m 늘어납니다. 가로 방향으로 8줄, 세로 방향으로 7줄 놓으면 가로 길이는 50 cm + 7 m = 7 m 50 cm, 세로 길이는 50 cm + 6 m = 6 m 50 cm입니다. 땅의 둘레는 7 m 50 cm + 7 m 50 cm + 6 m 50 cm + 6 m 50 cm = 28 m입니다.

02

[정답] 5 m

[풀이]
가로, 세로 방향 모두 도로와 도로 사이에는 꽃밭이 4개씩 있습니다. 따라서 도로 5개의 폭의 합은 105 - 80(= 20 × 4) = 25(m)입니다. 25 = 5 × 5이므로 도로 한 개의 폭은 5 m입니다.

23쪽

탐구 유형 2-4 **열기구의 높이**

[정답] (1) 풀이 참고 (2) 40 m (3) 4번

[풀이]

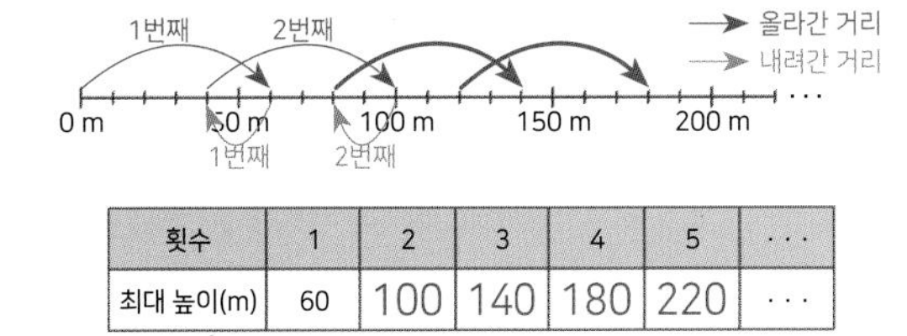

횟수	1	2	3	4	5	···
최대 높이(m)	60	100	140	180	220	···

열기구가 한번 오르고 내릴 때마다 40 m씩 올라갑니다. 첫 번째에 60 m 오르고 그 다음부터 한 번에 40 m씩 오르기 때문에 불을 4번 붙여야 180 m까지 올라갑니다.

01

[정답] 6번째 날(또는 6일째)

[풀이]
1 cm였던 풀이 첫날에 5 cm 자란 후 다음 날부터 매일 2 cm씩 자라는 것으로 생각하면 6번 자라야 하므로 6일째에 16 cm가 됩니다. 1+5+2+2+2+2+2=16(cm)

24쪽

01

[정답] 15개

[풀이]

색종이를 4번 접으면 2×2×2×2 = 16(부분)으로 나뉩니다. 접은 선은 각 부분의 사이마다 하나씩 생기므로 접은 선의 개수는 나누어진 부분보다 한 개 적습니다.

02

[정답] 6번

[풀이]

가로, 세로 3개씩 3층으로 쌓였기 때문에 가로, 세로 방향으로 2번씩 자른 후 위에서 2번 더 잘라야 합니다.

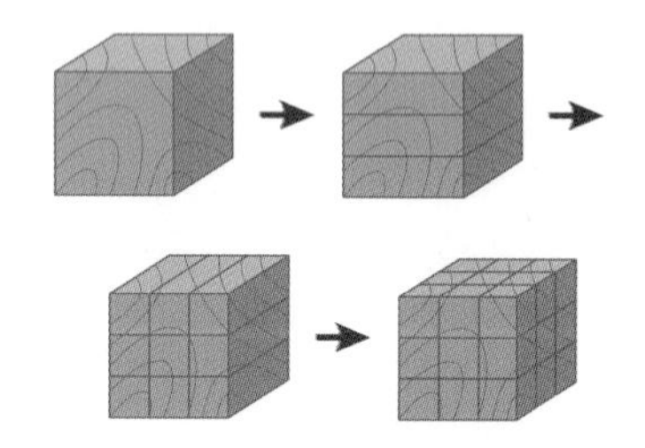

25쪽

03

[정답] 72개

[풀이]

◯ 모양은 ✧ 모양보다 가로 방향으로 1줄 더 많고 세로 방향으로도 1줄 더 많습니다. 가로 방향으로 8줄, 세로 방향으로 9줄 있기 때문에 모두 72개입니다.

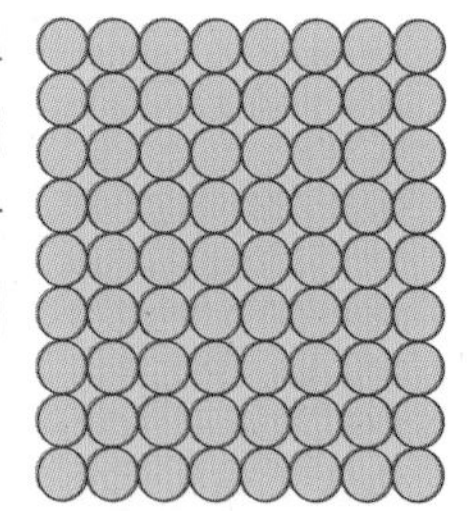

04

[정답] 21번

[풀이]

우빈이는 ⑥번 깃발까지 5개의 깃발을 지나고 다시 5개의 깃발을 지나서 ①번 깃발에 돌아옵니다. 우빈이는 모두 10개의 깃발을 지났습니다. 수진이는 같은 시간동안 우빈이보다 두 배의 깃발을 지나므로 모두 20개의 깃발을 지나서 21번 깃발에 도착하게 됩니다.

2. 거꾸로 해결하기

27쪽

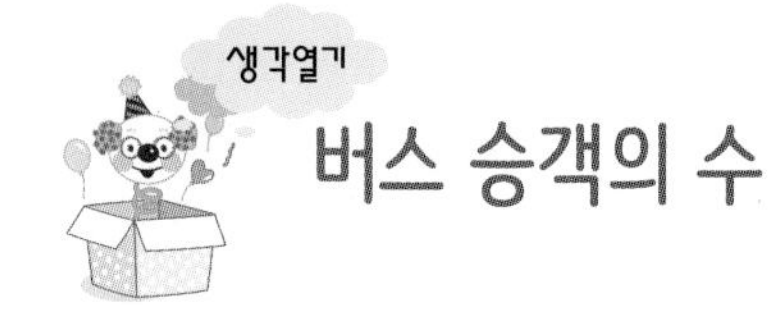

승객들을 태운 버스가 정류장을 지나갑니다. 정류장을 지날 때마다 승객들이 내리고 탑니다.

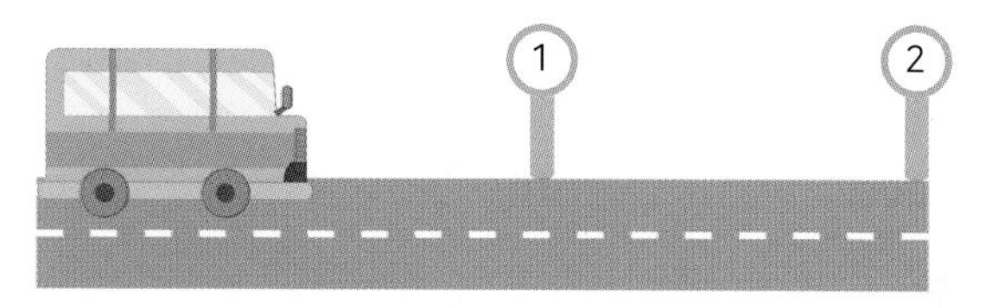

1번 정류장에서 5명이 내리고 7명이 탔습니다. 곧이어 2번 정류장에서 10명이 내리고 3명이 탔더니, 남은 승객은 모두 10명이었습니다. 1번 정류장을 지나기 전에 버스에 타고 있던 승객은 모두 몇 명인지 구하시오. 15명

28쪽

어떤 수에 5를 더한 후 3을 빼고 8을 더하고 3을 뺐더니 20이 되었습니다. 어떤 수를 구하시오.

13

[풀이] □+5-3+8-3=20 → □+7=20 → □=13

[다른 풀이]

□+5-3+8-3=20 → □=20+3-8+3-5=13

깜이가 처음에 있던 곳에서 오른쪽으로 7칸, 왼쪽으로 4칸, 오른쪽으로 2칸을 가니 7번 칸에 도착했습니다. 깜이가 처음에 있던 칸을 찾아 ○표 하시오.

29쪽

탐구주제 1 거꾸로 계산하기

탐구 유형1-1 바르게 계산한 값

[정답] (1) 15 (2) 33

[풀이]
□-3을 반으로 나누면 6이 되므로 거꾸로 6에 2배를 하면 □-3이 됩니다. □-3 = 12 → □ = 15
바르게 계산하면 □×2+3 = 15×2+3 = 30+3 = 33

01
[정답] 21개

[풀이]
처음 상자 안에 있던 구슬의 개수를 □개라고 할 때 상자 안 구슬이 5개 늘고, 다시 8개 줄어 15개가 되었으므로
□+5-8 = 15 → □ = 15+8-5 = 18
처음에 생각했던 대로 구슬을 꺼내고 넣으면 상자 안 구슬이 5개 줄고, 다시 8개 늘기 때문에 18-5+8 = 21(개)의 구슬이 상자 안에 있게 됩니다.

02
[정답] 오후 12시 20분

[풀이]
현재 시각보다 40분(=1시간 20분-40분) 전은 오전 11시이므로 현재 시각은 오전 11시+40분=오전 11시 40분 입니다. 현재 시각보다 40분 후(=1시간 20분-40분)는
오전 11시 40분+40분=오후 12시 20분입니다.

30쪽

03
[정답] 6

[풀이]
노란색 상자의 규칙을 거꾸로 하면 반으로 나눈 후 2를 빼는 것이 되고 초록색 상자의 규칙을 거꾸로 하면 2배 한 후 2를 더하는 것이 됩니다.

04
[정답] 1000원

[풀이]
4300원의 10년전 금액은 2배에 100원을 더 주는 계산을 거꾸로 하면 100원을 뺀 후 반으로 나누는 것이므로 2100원이고 2100원의 10년전 금액은 1000원입니다.

31쪽

탐구 유형1-2 숫자로 수 만들기

[정답]

(1) 16, 61, 23, 32

(2) 28, 82, 44, 48, 84

[풀이]
곱셈구구에서 6이 나오는 경우는 다음과 같습니다.
1×6, 6×1, 2×3, 3×2
이를 이용하여 두 자리 수를 만들면 16, 61, 23, 32입니다.
그런데 61과 23은 어떤 두 자리 수의 십의 자리와 일의 자리 숫자를 곱해서 만들 수 없으므로 빨간색 네모안에는 16 또는 32를 만들 수 있는 두 자리 수가 들어가야 합니다.
16이 되는 경우 : 28, 82, 44
32가 되는 경우 : 48, 84

01
[정답] 10개

[풀이]
12에서 10을 빼면 2인데, 더하여 2를 만들 수 있는 경우는 1+1 또는 2+0이므로 가운데 네모 안에는 11 또는 20이 들어갑니다.
11인 경우 : 11-10=1이고 1을 만드는 경우는 1+0뿐이므로 가능한 두 자리 수는 10입니다.(1개)

20인 경우 : 20-10=10이고 10을 만드는 경우는 1+9, 2+8, 3+7, 4+6, 5+5이므로 가능한 두 자리 수는 19, 91, 28, 82, 37, 73, 46, 64, 55입니다.(9개)

32쪽

02

[정답] 9개

[풀이]

6을 반으로 나누면 3이고 각 자리를 더해서 3을 만들 수 있는 두 자리 수는 12, 21, 30입니다. 21은 반으로 나눌 수 없으므로 12와 30이 되는 경우만 찾습니다.

12가 되는 경우 : 12를 반으로 나누면 6이므로 각 자리를 더해서 6이 되는 수는 15, 51, 24, 42, 33입니다.

30이 되는 경우 : 30을 반으로 나누면 15이므로 각 자리를 더해서 15가 되는 수는 69, 96, 78, 87입니다.

03

[정답] 47, 74

[풀이]

2를 두 배하면 4이고 각 자리를 곱해서 4를 만들 수 있는 두 자리 수는 14, 41, 22입니다.

14가 되는 경우 : 14를 두 배하면 28이므로 각 자리를 곱하여 28이 되는 두 자리 수는 47, 74입니다.

41과 22를 두 배한 수 82와 44는 어떤 두 자리 수의 각 자리를 곱하여 만들 수 없습니다.

33쪽

탐구주제 2 그려서 찾기

탐구 유형 2-1 과자의 개수

[정답] (1) 8개 (2) 4개 (3) 12개

[풀이]

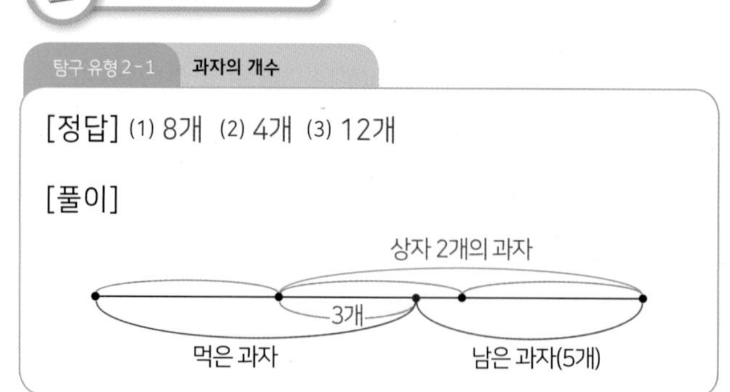

01

[정답] 10개

[풀이]

남은 개수가 8개이므로 3개를 뺀 5개가 전체의 절반입니다. 따라서 전체 개수는 10개입니다.

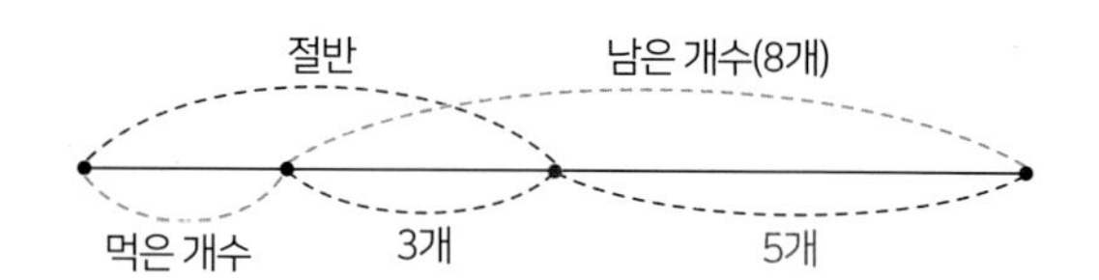

34쪽

02

[정답] 28마리

[풀이]

망가진 울타리 안의 양 2마리를 제외하면 3개의 울타리 안에는 21마리의 양이 들어 있습니다. 울타리 하나당 7마리의 양이 있으므로 울타리가 4개일 때 있던 양은 모두 28마리입니다.

03

[정답] 2500 mL

[풀이]

남은 물의 양에서 적게 마신 100 mL를 빼면 물병 3개에 들어 있는 물의 양이 됩니다. 물병 1개에 들어 있는 물의 양은 500 mL이므로 처음에 있던 물의 양은 2500 mL입니다.

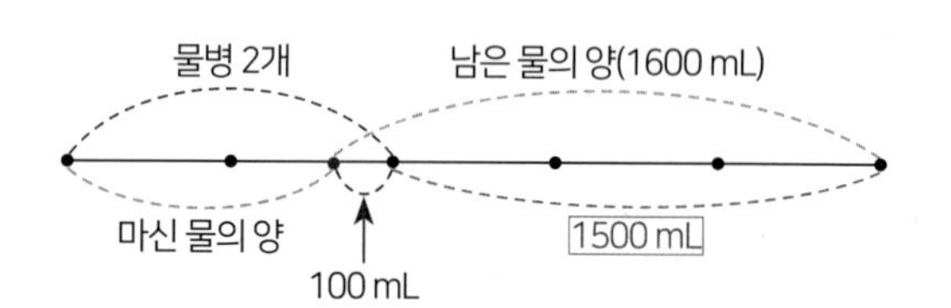

35쪽

탐구 유형 2-2 물통 채우기

[정답] (1) ㉠=18 L, ㉡=6 L (2) 9, 15

[풀이]

②번 방법에 의해 오른쪽 물통의 물의 양이 2배가 되었으므로 ㉡은 6 L, ㉠은 18 L이고 ①번 방법에 의해 왼쪽 물통의 물의 양이 2배가 되었으므로 물을 옮기기 전의 왼쪽 물통은 9L, 오른쪽 물통은 15 L가 됩니다.

36쪽

01

[정답] 8개

[풀이]

	리아	지수
사탕을 옮기기 전	22개	8개
①번 방법대로 옮긴 후	14개	16개
②번 방법대로 옮긴 후	15개	15개

②번 방법을 거꾸로 하면 리아가 지수에게 사탕을 1개 주게 되므로 표의 두 번째 줄은 14개, 16개입니다.
①번 방법을 거꾸로 하면 지수의 사탕 개수는 절반이 되므로 표의 첫 번째 줄은 22개, 8개입니다.

02

[정답] 3개

[풀이]

	가람	나영	다정
구슬을 옮기기 전	3개	22개	17개
①번 방법대로 옮긴 후	7개	20개	15개
②번 방법대로 옮긴 후	10개	14개	18개
③번 방법대로 옮긴 후	12개	14개	16개

방법 ③을 거꾸로 하면 가람이가 다정이에게 구슬 2개를 주게 되므로 표의 세 번째 줄은 10개, 14개, 18개입니다.
방법 ②를 거꾸로 하면 나영이가 두 사람에게 구슬을 3개씩 받게 되므로 표의 두 번째 줄은 7개, 20개, 15개입니다.
방법 ①을 거꾸로 하면 가람이가 두 사람에게 구슬을 2개씩 주게 되므로 표의 첫 번째 줄은 3개, 22개, 17개입니다.

37쪽

03

[정답] 4개

[풀이]

	현슬	건우
과자를 주기 전	8개	4개
현슬이가 과자를 준 후	4개	8개
건우가 과자를 준 후	6개	6개

현슬이가 가진 과자의 절반만큼을 건우가 현슬이에게 주었을 때 둘이 가진 과자의 개수가 같아졌으므로 주기 전에 건우가 가지고 있던 과자는 현슬이가 가진 과자의 2배입니다. 따라서 표의 두 번째 줄은 4개, 8개입니다.

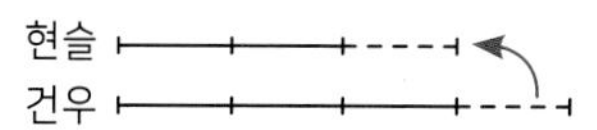

건우가 가진 과자만큼 현슬이가 건우에게 과자를 준 것을 거꾸로 하면 건우의 과자는 절반으로 줄어야 하므로 표의 첫 번째 줄은 8개, 4개입니다.

04

[정답] 12개

[풀이]
정민이가 민호에게 자기가 가지고 있는 연필의 절반을 준 것을 거꾸로 하면 정민이의 연필이 2배가 되어야 하므로 처음에 가지고 있던 연필의 개수는 민호가 4개, 정민이가 16개입니다.
원래 생각대로 민호가 가진 연필 개수만큼을 정민이가 민호에게 준다면 정민이가 민호에게 4개를 주어야 하므로 두 사람이 가지게 되는 연필의 개수는 민호가 8개, 정민이가 12개입니다.

38쪽

탐구주제 3 거꾸로 전략 찾기

3개의 구슬이 남았고 깜이가 구슬을 가져갈 차례입니다. 깜이가 구슬을 가져간 후 남는 구슬의 개수로 가능한 것을 모두 구하고 누가 이기게 될지 구하시오.

남는 구슬: 1, 2 개　　승자: 냥이

냥이가 구슬을 가져갈 차례입니다. 구슬이 4개 남은 경우, 5개 남은 경우 냥이가 반드시 이기기 위해서 구슬 몇 개를 가져가야 하는지 각각 구하시오.

4개 남은 경우: 1 개　　5개 남은 경우: 2 개

구슬 8개를 놓고 냥이가 먼저 게임을 시작합니다. 냥이가 반드시 이기기 위해서 첫 번째에 구슬 몇 개를 가져가야 하는지 구하시오.

2개

[풀이]

깜이의 순서일 때 3개가 남아 있어야 냥이가 승리하게 되므로 3개를 남기려면 깜이의 순서일 때 6개가 남도록 해야합니다. 따라서 냥이가 2개를 가져가면 6개가 남고 깜이가 1개를 가져가면 냥이는 2개를, 깜이가 2개를 가져가면 냥이는 1개를 가져가서 3개를 남기면 냥이가 반드시 이기게 됩니다.

39쪽

탐구 유형 3-1 구슬 가져가기

[정답] (1) 7번 (2) 4번 (3) 수민이가 먼저 시작해서 1번, 4번, 7번, 10번 구슬을 가져가야 합니다.

[풀이]

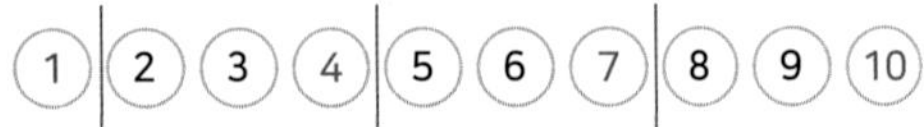
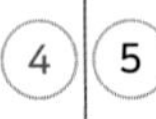

성찬이의 차례에 8, 9, 10번 구슬이 남아 있으면 수민이가 이깁니다. 8, 9, 10번 구슬을 남기기 위해 수민이는 반드시 7번 구슬을 가져가야 합니다. 거꾸로 생각해 보면 수민이는 먼저 시작해서 1, 4, 7, 10번 구슬을 가져가면 반드시 이길 수 있습니다.

연습 01

[정답] 1

[풀이]

반드시 칠해야 하는 칸을 거꾸로 생각해 보면 다음과 같습니다.

1	2	3	4	5	6	7	8	9	10	11	12	13

40쪽

연습 02

[정답] 3개

[풀이]

왼쪽부터 순서대로 1번, 2번, …, 15번 지우개라고 하면 15번 지우개를 가져가기 위해서는 상대방의 차례에 12, 13, 14, 15번 지우개를 남겨야 합니다. 계속 거꾸로 생각해 보면 먼저하는 사람은 3, 7, 11번 지우개를 가져가야 합니다. 따라서 처음에 3개의 지우개를 가져가면 반드시 이기게 됩니다.

연습 03

[정답] 나중에 하는 사람

[풀이]

28일에 표시하기 위해 거꾸로 생각해 보면 24일, 20일, 16일, 12일, 8일, 4일에 표시해야 함을 알 수 있습니다. 먼저 하는 사람은 4일에 표시할 수 없고 나중에 하는 사람은 4일에 표시할 수 있어 반드시 이깁니다.

41쪽

탐구 유형 3-2 퍼즐 조각 채워 넣기

[정답] 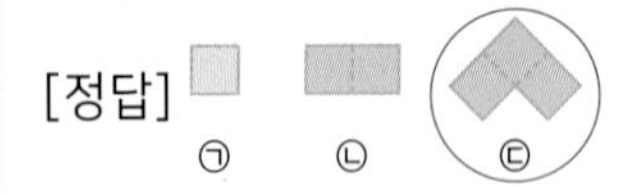

[풀이]

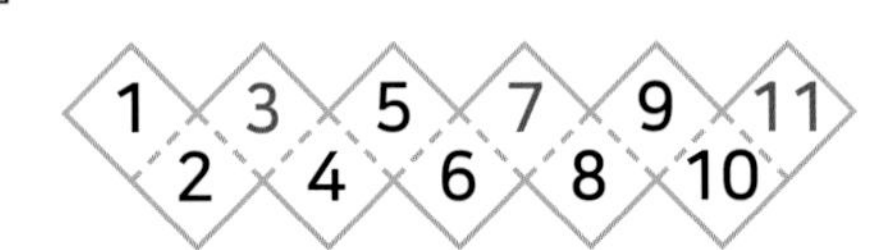

거꾸로 생각해 보면 위와 같이 3, 7번을 채운 사람이 11번도 채울 수 있습니다. 따라서 먼저 하는 사람은 ㉢을 이용하여 3번을 채워야 이길 수 있습니다.

연습 01

[정답] 2번 칸

[풀이]

움직일 수 있는 칸의 개수는 13칸입니다. 검은색 바둑돌이 마지막에 3칸을 남겨야 이기므로 움직일 수 있는 13칸에서 거꾸로 3칸씩 빼는 것을 반복합니다. 13-3-3-3-3=1(칸)이 남습니다. 따라서 처음에 검은색 바둑돌을 1칸 움직여 2번 칸으로 이동해야 이길 수 있습니다.

42쪽

TOP 사고력

01

[정답] 13, 14, 24

[풀이]

주어진 수의 전 단계는 1을 더하여 홀수가 되거나 두 배를 하여 짝수가 되는 경우로 나누어 생각할 수 있습니다. 1을 더했는데 짝수가 되는 경우는 제외합니다.

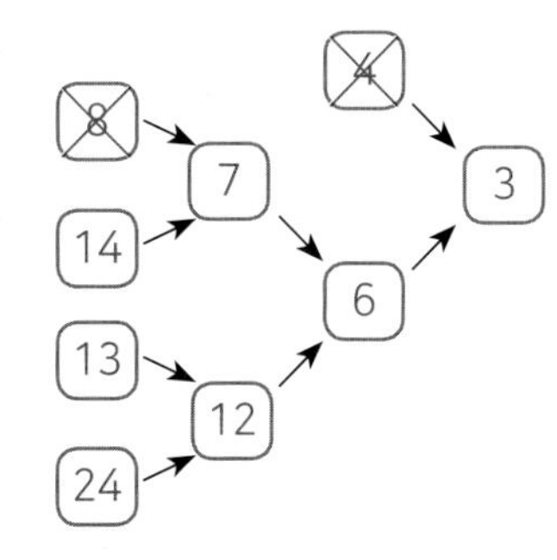

02

[정답] 46 cm

[풀이]

초록색 띠 2개는 6 cm이므로 1개는 3 cm입니다. 갈색 띠 3개와 초록색 띠 7개의 길이가 같으므로 갈색 띠 3개는 21 cm이고 1개는 7 cm입니다. ①번은 갈색 띠 6개와 파란 띠 1개이므로 길이는 다음과 같습니다.

(갈색 띠 6개)+(파란 띠 1개)=$7\times6+4=46$(cm)

43쪽

03

[정답] 1개

[풀이]

민서는 무조건 1개씩 가져가므로 민서와 예준이를 묶어서 생각하면 2개 또는 3개를 가져간다고 생각할 수 있습니다. 마지막에 4개가 남아있어야 민서와 예준이가 가져가고 1개 또는 2개가 남아 수민이가 이깁니다. 17개에서 4개씩 빼는 것을 반복하면 17, 13, 9, 5, 1번째 연필을 가져가야 반드시 이기므로 처음에 1개를 가져가야 합니다.

04

[정답] 8개

[풀이]

깜이가 냥이에게 준 개수와 냥이가 깜이에게 준 개수가 같아야 처음과 같아지므로 깜이는 3개를 받았고 받기 전에는 1개가 있었다는 것을 알 수 있습니다. 따라서 처음에 두 사람이 가지고 있던 구슬은 각각 4개입니다.

3. 차 탐구

45쪽

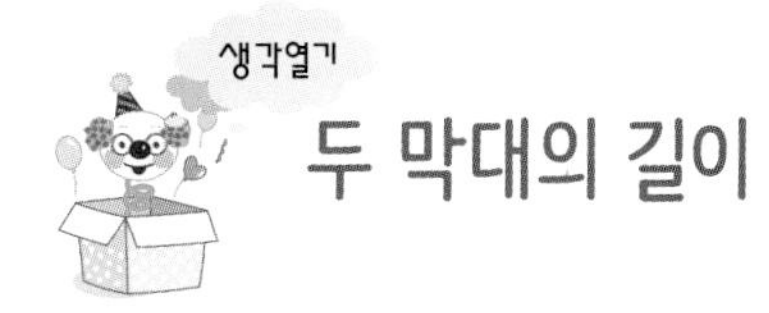

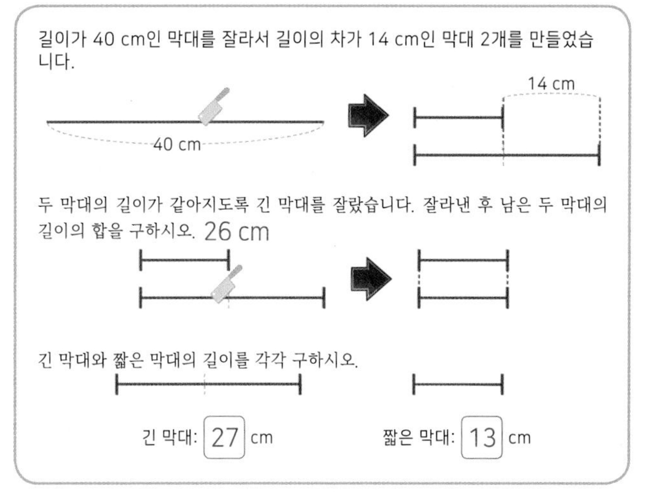

46쪽

32개의 사탕을 두 상자에 나누어 담고 세어 보니 분홍색 상자에 사탕이 10개 더 들어있습니다. 초록색 상자에 들어 있는 사탕의 개수를 구하시오.

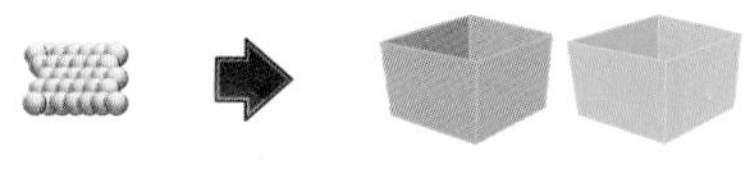

11개

[풀이]

분홍색 상자에서 사탕 10개를 빼면 두 상자에 들어 있는 사탕의 개수는 같습니다. 32-10=22(개)를 반으로 나눈 11개의 사탕이 초록색 상자에 들어 있습니다.

주어진 조건에 맞는 두 수를 구하시오.

(1) 합이 60이고 차가 16인 두 수
22, 38

(2) 합이 35이고 차가 7인 두 수
14, 21

(3) 합이 100이고 차가 18인 두 수
41, 59

[풀이]
(1) 60-16=44이고 44를 반으로 나누면 22이므로 작은 수가 22, 큰 수가 38입니다.

(2) 35-7=28이고 28을 반으로 나누면 14이므로 작은 수가 14, 큰 수가 21입니다.

(3) 100-18=82이고 82를 반으로 나누면 41이므로 작은 수가 41, 큰 수가 59입니다.

47쪽

같은 물건의 양의 차

탐구 유형 1-1 **구슬의 가격**

[정답]

(1) 파란색 구슬이 1개 더 많습니다.

(2) 3600-3200=400(원)

(3) 400원

(4) 500원

[풀이]
㉡묶음에는 ㉠묶음 보다 파란색 구슬이 1개 더 많으므로 (㉡묶음의 가격)-(㉠묶음의 가격)=(파란색 구슬 1개의 가격)입니다. 따라서 파란색 구슬 1개의 가격은 400원임을 알 수 있습니다.

㉠묶음의 가격에서 파란색 구슬 3개의 가격을 빼면 3200-1200=2000(원)이므로 빨간색 구슬 1개의 가격은 500원입니다.

01

[정답] 40 g

[풀이]
지우개 2개, 연필 3개를 ㉠묶음이라 하고 지우개 2개, 연필 4개를 ㉡묶음이라 하면 두 묶음의 차이는 연필 1개이므로 연필 1개의 무게는 다음과 같습니다.

(㉡묶음의 무게)-(㉠묶음의 무게)=50(g)

㉠묶음의 무게에서 연필 3개의 무게를 빼면 지우개 2개의 무게는 80 g이므로 지우개 1개의 무게는 40 g입니다.

48쪽

탐구 유형 1-2 **빈 컵의 무게**

[정답]

(1) 800 g

(2) 1600 g

[풀이]
마시기 전의 컵의 무게와 마신 후의 컵의 무게의 차는 음료수의 절반의 무게입니다. 따라서 음료수의 절반의 무게는 다음과 같습니다.
3200 -2400 = 800(g)
음료수의 절반이 남은 컵의 무게에서 음료수의 절반의 무게를 빼면 컵의 무게를 구할 수 있습니다.
2400 - 800 = 1600(g)

01

[정답] 10 m

[풀이]
4년 후 나무 높이와 1년 후 나무 높이의 차는 3년 동안 자란 나무 높이와 같습니다.
22 - 13 = 9(m)
3년 동안 9 m 자랐으므로 1년에 3 m씩 자랍니다.

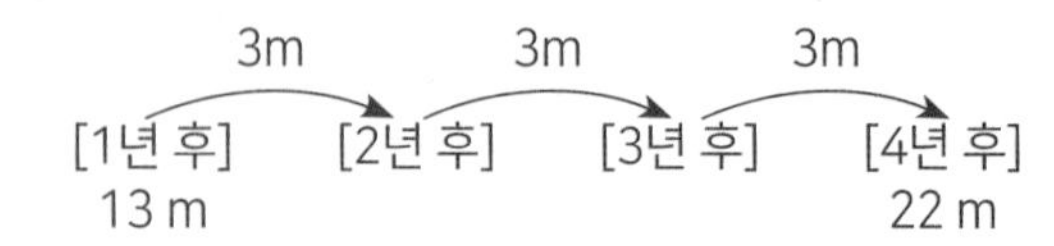

49쪽

02

[정답] 500원

[풀이]
7700 - 5300 = (사과 3개의 가격)
사과 3개의 가격이 2400원이므로 사과 6개의 가격은 4800원입니다.
바구니에 담긴 사과 6개의 가격에서 사과 6개의 가격을 빼면 바구니의 가격을 구할 수 있습니다.
5300 - 4800 = 500(원)

03

[정답] 14살

[풀이]
유진이와 세영이의 나이를 막대의 길이로 표현하면 다음과 같습니다.

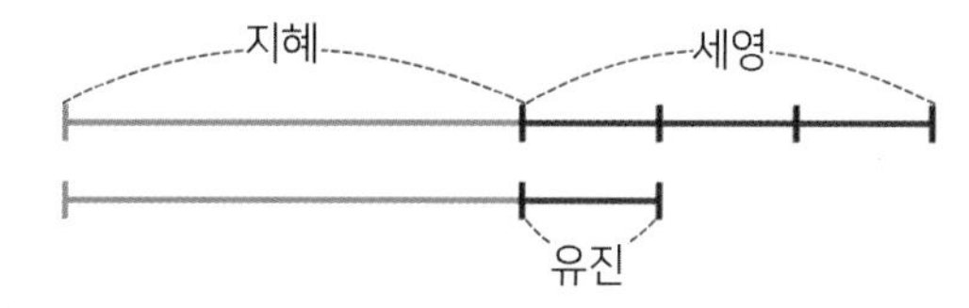

(지혜와 세영이의 나이) - (지혜와 유진이의 나이) = 8(살)이므로 그림에서 막대 1칸은 4살을 의미합니다. 따라서 지혜의 나이는 18 - 4 = 14(살)입니다.

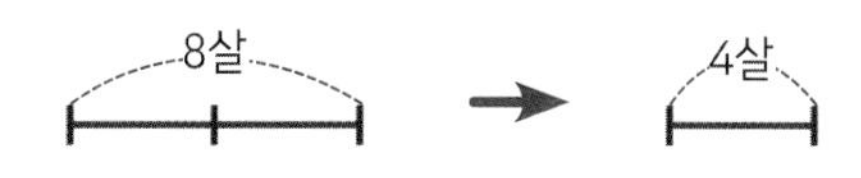

04

[정답] 2000원

[풀이]
음식의 가격을 막대로 표현하면 다음과 같습니다.

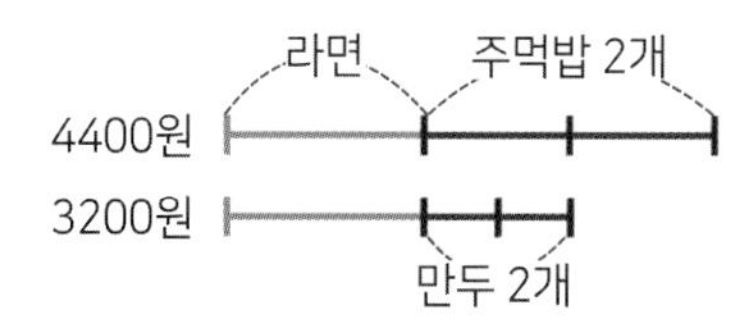

4400 - 3200 = (주먹밥 1개의 가격)
따라서 주먹밥 1개는 1200원입니다. 4400원에서 주먹밥 2개의 가격을 빼면 4400 - 2400 = 2000(원)이므로 라면 1개의 가격은 2000원입니다.

50쪽

다른 물건의 값의 차

왼쪽 접시의 딸기 1개를 바나나 1개로 바꾸면 두 접시에 담긴 과일은 같아집니다. 딸기 1개를 바나나 1개로 바꿀 때마다 과일 가격이 얼마씩 변하는지 구하시오.
100원

두 과일 중 어떤 과일이 얼마나 더 비싼지 구하시오.
바나나가 100원 더 비싸다.

주황색 막대 1개는 보라색 막대 1개보다 몇 cm 긴지 구하시오.

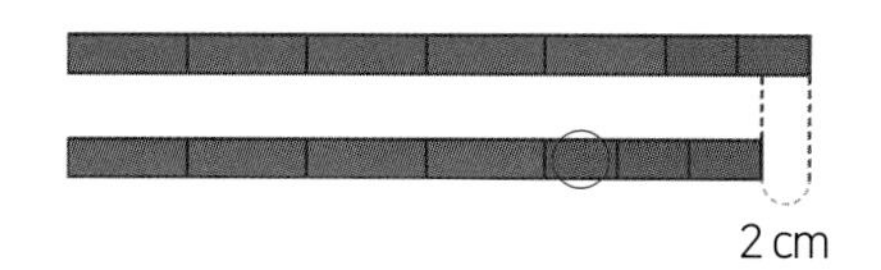

2 cm

[풀이]
◯표 한 막대를 주황색 막대로 바꾸면 2 cm 늘어납니다.

51쪽

탐구 유형 2-1 다트 게임

[정답] (1) 1발, 3점 (2) 3점 (3) 24점 (4) 6점

[풀이]

	노란색(㉠점)	파란색(㉡점)	총점
지수	2개	2개	18점
리아	3개	1개	21점

지수와 리아의 총점 차이는 노란색과 파란색 과녁의 점수 차(3점)입니다. 리아가 만약 노란색에 4개를 다 맞혔다면 총점은 24점이 되므로 노란색 부분(㉠)의 점수는 화살 한 발당 6점입니다.

01

[정답] 400 mL

[풀이]
파란색 컵 1개, 빨간색 컵 4개에서 빨간색 컵 3개를 파란색 컵 3개로 바꾸면 300 mL가 줄어들기 때문에 파란색 컵은 빨간색 컵 보다 100 mL가 적은 컵입니다. 따라서 파란색 컵 5개에 우유를 담으면 2000 mL가 되고, 파란색 컵 1개는 400 mL입니다.

52쪽

02

[정답] 8 cm

[풀이]
(연필 두 자루의 길이) = (지우개 두 개의 길이) + 16 cm
(연필 한 자루의 길이) = (지우개 한 개의 길이) + 8 cm

따라서 연필 한 자루는 지우개 한 개보다 8 cm 더 길다.

03

[정답] 5분

[풀이]

	보라색	초록색	걸린 시간
㉠ -> ㉢	5정거장	2정거장	25분
㉡ -> ㉣	2정거장	5정거장	31분

㉠에서 ㉢으로 가는 노선에서 보라색 정거장 3개를 초록색 정거장 3개로 바꾼다면 6분이 늘어나므로 초록색 노선에서 한 정거장 가는데 걸리는 시간은 보라색 노선 한 정거장 보다 2분 더 걸립니다. 따라서 초록색 노선에서만 7정거장을 간다면 35분이 걸리므로 초록색 노선에서 한 정거장 가는데 걸리는 시간은 5분입니다.

53쪽

탐구 유형 2-2 과일이 나타내는 수

[정답] (1) 2개 (2) 1 (3) 15 (4) 3

01

[정답] ◇=1, ◆=4

[풀이]
오른쪽 식에서 ◇ 1개를 ◆ 1개로 바꾸면 3이 커지므로 ◆ 5개의 합은 20입니다. 따라서 ◆=4이고 ◇는 ◆보다 3 작은 수이므로 ◇=1입니다.

54쪽

02

[정답] ▲ = 4 ◆ = 2

[풀이]
겹치는 부분을 제외하고 차이를 구하면 ▲ 3개는 ◆ 3개보다 6 크기 때문에 ▲ 1개는 ◆ 1개보다 2 크다는 것을 알 수 있습니다.

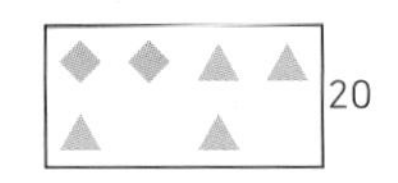

위 묶음에서 ◆를 모두 ▲로 바꾸면 24(=4×6)이므로 ▲=4이고 ◆는 ▲보다 2 작은 수이므로 ◆=2입니다.

03

[정답] (파란 사탕) = 1 (빨간 사탕) = 5

[풀이]
오른쪽 식에서 파란 사탕 2개를 빨간 사탕으로 바꾸면 두 식이 같아지므로 빨간 사탕 2개는 파란 사탕 2개보다 8 큰 수입니다. 따라서 빨간 사탕 1개는 파란 사탕 1개보다 4 큰 수입니다. 빨간 사탕 5개의 합은 25이므로 (빨간 사탕)=5이고 파란 사탕은 빨간 사탕보다 4 작은 수이므로 (파란 사탕)=1입니다.

55쪽

탐구 유형 2-3 모양이 나타내는 수

[정답] (1) 30 (2) 10, 10, 10

(3) ■:1 ◆:3 ●:2 ▲:4

[풀이]
(1) 표 안에 있는 모양들을 모두 더하면 30입니다.

(2) 각 세로줄은 순서는 다르지만 같은 모양이 1개씩 들어 있으므로 각 세로줄의 합은 10이 됩니다.

(3) ■+◆+●+▲=10이고 ■+◆+●=6이므로 ▲=4입니다. 같은 방법으로 다른 모양도 구할 수 있습니다.
◆+●+▲=9이므로 ■=1
●+▲+■=7이므로 ◆=3
▲+■+◆=8이므로 ●=2

01

[정답] : 2 천원

[풀이]
모든 과일 묶음의 합은 6천원+9천원+8천원+7천원=3만원이고 같은 과일이 3개씩 있으므로 +++=1(만원)입니다. ++=8(천원)이므로 사과 1개는 2천원입니다.

56쪽

02

[정답] 

[풀이]
표 안의 모든 주머니에 들어 있는 금화 개수의 합은 42개입니다. 같은 색의 주머니가 세 개씩 있으므로 +++ =14(개)입니다.
++=9(개)이므로 =5(개)
++=12(개)이므로 =2(개)
++=11(개)이므로 =3(개)
++=10(개)이므로 =4(개)

03

[정답] 5

[풀이]
같은 종류의 공은 3개씩 있고 표 안에 있는 모든 공의 무게의 합은 39입니다. +++=13이고 ++=8이므로 =5입니다.

탐구주제 3 남고 모자라고

57쪽

탐구 유형 3-1 **인형의 무게**

[정답] (1) 180 g (2) 9개 (3) 500 g

[풀이]
(1) 230 - 50 = 180(g)

(2) 50 g짜리 추와 30 g짜리 추의 무게 차이는 20 g이므로 180 g 차이가 나려면 50 g짜리 추 9개가 필요합니다.

(3) 50×9+50=500(g) 또는 30×9+230=500(g)

01

[정답] 70개

[풀이]
한 사람당 받는 사탕을 1개씩 줄여서 나눠주면 9개의 사탕을 더 나누어줄 수 있으므로 사람의 수는 9명입니다.
(사탕의 개수)=9×9-11=70(개)

02

[정답] 25명

[풀이]
큰 책상 한 개에 앉는 학생수를 4명에서 5명으로 늘렸을 때 남는 학생의 수가 4명 줄어들기 때문에 큰 책상의 수는 4개입니다. (학생의 수)=4×4+9=25(명)

58쪽

탐구 유형 3-2 **칠판의 길이**

[정답] (1) 9 cm (2) 9개 (3) 76 cm

[풀이]
9 cm 막대로 바꾸어 연결했을 때, 8 cm 막대를 연결했을 때 보다 전체 길이가 9 cm만큼 길어진 것이므로 막대의 개수는 9개입니다.

01

[정답] 47개

[풀이]
과자를 5개씩 담았을 때와 6개씩 담았을 때 과자 개수의 차이가 8개이므로 봉지는 8개가 있습니다. 따라서 과자의 개수는 5×8+7=47(개) 또는 6×8-1=47(개)로 구할 수 있습니다.

02

[정답] 59살

[풀이]
은영이의 내년 나이 11살에 몇 배하면 작년 나이 10살에 똑같이 몇 배했을 때보다 올해 할아버지 나이가 6살 많아졌으므로 6배했음을 알 수 있습니다. 따라서 올해 할아버지 나이는 10×6-1=59(살) 또는 11×6-7=59(살)로 구할 수 있습니다.

59쪽

03

[정답] 37 cm

[풀이]
7 cm씩 잘랐을 때에는 5 cm씩 잘랐을 때보다 14 cm가 더 필요합니다. 7 cm와 5 cm의 차이는 2 cm이므로 조각의 개수는 7개입니다. 종이띠의 길이는 5×7+2=37(cm) 또는 7×7-12=37(cm)로 구할 수 있습니다.

04

[정답] 24개

[풀이]
두발자전거와 같은 대수의 세발자전거를 만들기 위해서는 9개의 바퀴가 더 필요합니다. 세발자전거와 두발자전거의 바퀴 개수 차이는 1개이므로 만든 자전거는 9대입니다. 따라서 바퀴의 개수는 2×9+6=24(개) 또는 3×9-3=24(개)로 구할 수 있습니다.

05

[정답] 4000원

[풀이]
사과와 같은 개수의 바나나를 사기 위해서는 1800원이 더 필요합니다. 두 과일의 가격 차이는 300원이므로 산 개수는 6개입니다. 따라서 가진 돈은 600×6+400=4000(원) 또는 900×6-1400=4000(원)으로 구할 수 있습니다.

60쪽

TOP 사고력

01

[정답] 500원

[풀이]
7500-5500=2000=(토끼 2개) → 토끼 1개는 1000원입니다.
9000-5500=3500=(토끼+거북이+여우)이므로 5500원짜리 묶음에서 토끼, 거북이, 여우 1개씩을 제외하면
(여우 1개)=5500-3500=2000(원)입니다. 5500원짜리 묶음에서 토끼 1개 1000원, 여우 2개 4000원을 빼면 거북이 1개의 가격은 500원입니다.

02

[정답] 47개

[풀이]
만약 10개의 봉지가 모두 600원짜리라면 구매한 금액은 6000원이어야 합니다. 600원짜리 봉지 대신 500원짜리 봉지를 사면 100원씩 구매한 금액이 줄어드는데 실제로 구매한 금액은 5700원이므로 6000원 보다 300원이 줄어들었습니다. 따라서 500원짜리 봉지는 3개이고 600원짜리 봉지는 7개입니다.
(구슬의 개수)=5×7+4×3=47(개)

61쪽

03

[정답] 60 cm

[풀이]
4 cm 막대와 같은 개수의 6 cm 막대를 연결하면 12 cm 더 길어집니다. 막대 1개의 차이가 2 cm이므로 연결한 막대의 개수는 6개입니다. 4 cm 막대 전부와 6 cm 막대 ㉠개를 한 줄로 연결하면 책상의 길이와 같아지므로 책상의 길이는 24+36=60(cm)입니다.

04

[정답] ■=2, ◆=3, ●=1, ✱=4, ▲=5

[풀이]
모든 모양의 합은 45이고 각 모양이 3개씩 있습니다.

■ + ◆ + ● + ✱ + ▲ = 15

위 식과 가로줄의 합을 이용하여 두 모양의 합을 알 수 있습니다.

■ + ◆ + ●=6이므로 ✱ + ▲=9이고

● + ✱ + ▲=10이므로 ●=1입니다.

◆ + ● + ✱=8이므로 ■ + ▲=7이고

✱ + ▲ + ■=11이므로 ✱=4입니다.

✱ + ▲=9이므로 ▲=5

■ + ▲=7이므로 ■=2이고 ◆ =3입니다.

4. 포함과 배제

63쪽

2의 배수, 3의 배수

㉢ 부분에 들어가는 수를 모두 구하시오.

6, 12, 18

㉠ 부분에 들어가는 수를 모두 구하시오.

2, 4, 8, 10, 14, 16, 20

㉡ 부분에 들어가는 수를 모두 구하시오.

3, 9, 15

㉣ 부분에 들어가는 수를 모두 구하시오.

1, 5, 7, 11, 13, 17, 19

64쪽

벤다이어그램을 이용해서 단추를 두 가지 기준으로 분류하려고 합니다. 각 부분에 들어가야 할 단추의 기호를 알맞게 써넣으시오.

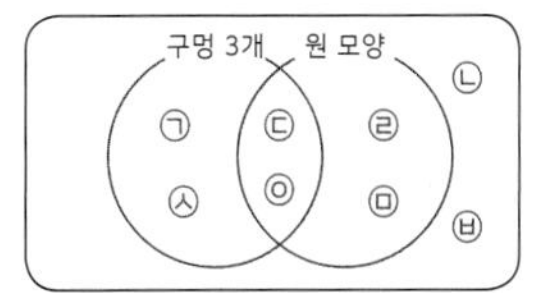

65쪽

1 그리고, 또는

①, ②, ③, ④ 부분에 점을 사람 수만큼 그리시오.

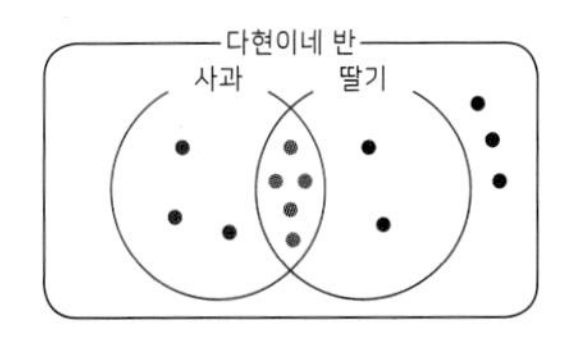

점의 개수를 세어 다현이네 반 학생들이 모두 몇 명인지 구하시오.

13명

66쪽

탐구 유형1-1 **모양 분류하기**

[정답] (1) 풀이 참고 (2) 6개 (3) 6개

[풀이]

01

[정답] (1) 3명 (2) 6명

[풀이]

(1) 키와 몸무게 두 조건을 모두 만족하는 사람은 ㉢, ㉣, ㉦입니다.

(2) 키가 130 cm보다 작은 사람 : ㉡, ㉥, ㉧

몸무게가 30 kg보다 가벼운 사람 : ㉠, ㉡, ㉤, ㉥, ㉧

㉡, ㉥은 둘 다 만족하므로 한 번만 세어야 합니다.

67쪽

02

[정답] 12개

[풀이]

03

[정답] 9개

[풀이]

3의 배수 : 3, 6, 9, 12, 15, 18

5의 배수 : 5, 10, 15, 20

15는 3의 배수이면서 5의 배수이므로 한 번만 셉니다.

04

[정답] 8개

[풀이]

68쪽

탐구주제 2 중복되는 부분

겹치기 전 사각형 2개의 넓이의 합을 구하고, 겹쳐진 도형과의 넓이의 차를 구하시오.

사각형 2개의 넓이 합 : 16

겹쳐진 도형과의 넓이의 차 : 16-10=6

주황색 부분의 넓이를 구하시오.

6

색종이에서 겹친 부분을 자르고 남은 부분의 넓이를 각각 구하시오.

넓이: 16　　넓이: 12

남는 부분의 넓이의 차를 구하고 자르기 전 색종이 두 장의 넓이의 차와 비교하시오.

남는 부분의 넓이의 차 : 4

자르기 전 두 색종이의 넓이의 차와 같습니다.

69쪽

탐구 유형 2-1 **사각형의 넓이**

[정답] (1) 6 (2) 33 (3) 11

[풀이]

(1) (사각형 3개의 넓이)-(겹쳐진 도형의 넓이)
=(㉠+㉡의 넓이)

(2) (사각형 3개의 넓이)
=(겹쳐진 도형의 넓이)+(㉠+㉡의 넓이)

(3) 사각형 3개의 넓이가 33이므로 이를 삼등분하면 사각형 한 개의 넓이는 11입니다.

연습 01

[정답] 25

[풀이]

(삼각형 2개의 넓이)=(별 모양의 넓이)+(육각형 부분의 넓이)
=37+13=50

따라서 삼각형 1개의 넓이는 50을 반으로 나눈 25입니다.

70쪽

연습 02

[정답] 15

[풀이]

(사각형 3개의 넓이)-(겹쳐진 도형의 넓이)=(㉠+㉡의 넓이)
=60-45=15

연습 03

[정답] 12

[풀이]

사각형 1개의 넓이는 삼각형 2개와 같으므로 사각형이 2개 있다고 생각할 수 있습니다.

(사각형 2개의 넓이)=(겹쳐진 도형의 넓이)+(㉠+㉡의 넓이)
=36+12=48

사각형 1개의 넓이는 48을 반으로 나눈 24이고 삼각형 1개의 넓이는 24를 반으로 나눈 12입니다.

연습 04

[정답] 32

[풀이]

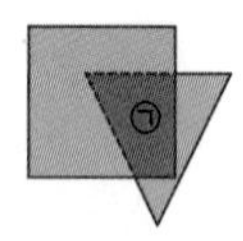

삼각형의 넓이가 20이고 겹쳐진 부분의 넓이가 12이므로 삼각형의 겹쳐지지 않은 부분의 넓이는 8입니다. 겹쳐진 도형의 넓이가 40이므로 사각형의 겹쳐지지 않은 부분의 넓이는 20입니다. 따라서 사각형의 넓이는 20+12=32입니다.

71쪽

탐구 유형 2-2 **넓이의 차**

[정답] (1) ㉠+㉢=25, ㉡+㉢=20 (2) 5 (3) 5

[풀이]

(1) ㉠+㉢은 삼각형의 넓이이고 ㉡+㉢은 원의 넓이입니다.

(2) (삼각형의 넓이)-(원의 넓이)=5

(3) ㉢은 겹치는 부분이므로 삼각형과 원에서 똑같이 빼고 남은 두 도형의 넓이의 차도 변함없이 5가 됩니다.

01

[정답] 0

[풀이]
두 도형에서 겹쳐지는 ㉢ 부분을 빼도 두 도형의 넓이의 차는 변하지 않습니다. 두 도형의 차는 0이므로 ㉠ 부분과 ㉡ 부분의 차도 0입니다.

72쪽

탐구 유형 2-3 **원 안의 수**

[정답] (1) 풀이 참고 (2) 3 (3) 3

[풀이]

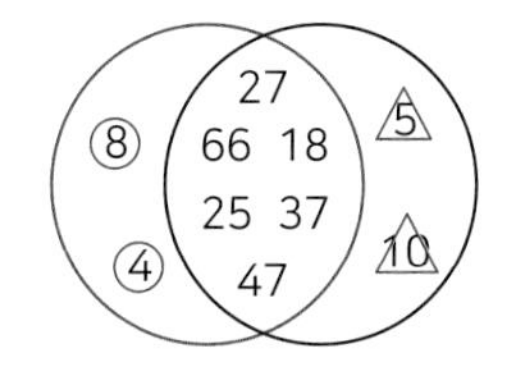

㉠과 ㉡에서 겹쳐지는 부분을 뺀 ㉢과 ㉣의 차는 ㉠과 ㉡의 차와 같습니다. ㉢과 ㉣의 차가 3이므로 ㉠과 ㉡의 차도 3이 됩니다.

01

[정답] 3

[풀이]
회색 원에서 겹쳐지는 부분을 뺀 나머지 수의 합은 10이고 초록색 원에서 겹쳐지는 부분을 뺀 나머지 수의 합은 13이므로 ㉠과 ㉡의 차는 3입니다.

73쪽

02

[정답] 32

[풀이]
두 원의 겹쳐지는 부분은 파란색 원 안에 있는 수 전체이므로 ㉠과 ㉡의 차는 빨간색 원에서 파란색 원을 뺀 나머지 수들의 합입니다. 따라서 4+8+20=32입니다.

03

[정답] 16

[풀이]
㉠과 ㉡의 겹쳐지는 부분을 뺀 5+4와 3+㉢의 차도 10과 같습니다. 따라서 ㉢=16입니다.

04

[정답] 4

[풀이]
삼각형이면서 초록색 도형 안에 있는 수는 겹쳐지는 부분에 있으므로 이를 제외하면 ㉠과 ㉡의 차는 (3+7+9)-(7+8)=4입니다.

74쪽

나머지 부분

두 사람이 가위바위보를 했을 때 나올 수 있는 결과는 몇 가지인지 구하시오.
9가지

두 사람이 비기는 경우는 몇 가지 있는지 구하시오.
3가지

깜이가 이기거나 냥이가 이기는 경우는 몇 가지 있는지 구하시오.
6가지

[풀이]
한 사람당 세 가지의 경우가 있으므로 두 사람이 낼 수 있는 결과는 3×3=9(가지)입니다. 두 사람이 비기는 경우는 가위, 바위, 보로 같은 것을 내는 경우로서 3가지입니다. 둘 중 한 명이 이기는 경우는 전체 경우에서 비기는 경우를 빼면 되므로 9-3=6(가지)입니다.

2개의 사각형에 빨간색, 파란색, 노란색, 초록색 중 하나를 칠합니다. ㉠에 칠한 색과 ㉡에 칠한 색이 다른 경우는 몇 가지 있는지 구하시오.

12가지

[풀이]
한 칸을 색칠하는 경우는 4가지이므로 두 칸을 색칠하는 경우는 4×4=16(가지)입니다. 16가지 중에서 같은 색을 칠하는 경우는 4가지이므로 ㉠과 ㉡에 서로 다른 색을 칠하는 경우는 16-4=12(가지)입니다.

75쪽

탐구 유형 3-1 시와 분이 다른 경우

[정답] (1) 60개 (2) 1번 (3) 59번

[풀이]

(1) 1시 00분부터 1시 59분까지 60개의 시각을 나타낼 수 있습니다.

(2) 시와 분이 같은 경우는 1시 1분밖에 없으므로 한 번입니다.

(3) 모든 경우는 60개가 있고 시와 분이 같은 경우는 한 번이므로 시와 분이 다른 경우는 60-1=59(번)입니다.

01

[정답] 60번

[풀이]

7월과 8월은 31일까지 있고 월과 일이 같은 날은 7월 7일, 8월 8일 두 번이므로 월과 일이 다른 날은 62-2=60(번)입니다.

76쪽

탐구 유형 3-2 새우 알레르기

[정답] (1) 25가지 (2) 16가지 (3) 9가지

[풀이]

(1) 햄버거 5종류, 추가 메뉴 5종류이므로 각각 한 개씩 주문하는 방법은 5×5=25(가지)입니다.

(2) 햄버거에서 새우버거를 제외하면 4가지, 추가 메뉴에서 새우칩을 제외하면 4가지이므로 4×4=16(가지)입니다.

(3) 25-16=9(가지)

01

[정답] 6가지

[풀이]

라면과 김밥을 각각 1개씩 주문하는 방법은 12(=3×4)가지입니다. 치즈라면과 치즈김밥을 제외하고 주문하는 방법은 6(=2×3)가지이므로 치즈가 들어간 음식이 적어도 한 개는 포함될 수 있도록 주문하는 방법은 6가지입니다.

77쪽

02

[정답] 10가지

[풀이]

민재네 집에서 승연이네 집으로 가는 방법은 모두 6×5=30(가지)입니다. 편의점 두 곳을 모두 들리지 않는 방법은 5×4=20(가지)이므로 적어도 하나의 편의점에 들렀다 가는 방법은 30-20=10(가지)입니다.

03

[정답] 19가지

[풀이]

세로 줄 하나당 3개의 수가 있으므로 선을 그리는 방법은 3×3×3=27(가지)입니다. 곱셈식이 0이 되려면 적어도 한 번은 0을 지나야 합니다. 0을 한 번도 지나지 않는 경우를 생각해 보면 2×2×2=8(가지)이므로 식의 값이 0이 되는 경우는 27-8=19(가지)입니다.

04

[정답] 11가지

[풀이]

동전을 던져 나오는 결과는 모두 2×2×2×2=16(가지)입니다. 모두 뒷면인 경우는 1가지, 한 개만 앞면이 나오는 경우는 4가지이므로 앞면이 한 개보다 많이 나오는 경우는 16-5=11(가지)입니다.

78쪽

01

[정답] 12명

[풀이]

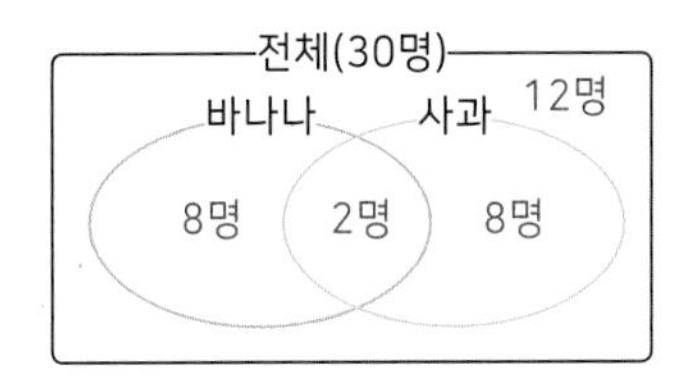

바나나를 좋아하는 학생이 10명이므로 사과는 좋아하지 않고 바나나만 좋아하는 학생은 8명입니다.
(사과를 좋아하지 않는 학생)
=(바나나만 좋아하는 학생)+(두 과일 모두 싫어하는 학생)
이므로 두 과일 모두 싫어하는 학생은 12명입니다.

02

[정답] 20

[풀이]

세 번째 그림에서 왼쪽으로 한 번씩 돌아갈 때마다 넓이가 ㉠+㉡만큼 늘어납니다. ㉠+㉡=10이므로 사각형 3개의 넓이의 합은 40+20=60입니다. 60을 삼등분하면 20이므로 사각형 1개의 넓이는 20입니다.

79쪽

03

[정답] 18가지

[풀이]

세 명이 가위바위보를 했을 때 나올 수 있는 모든 경우는 $3\times3\times3=27$(가지)입니다. 세 명이 서로 다른 것을 내어서 비기는 경우가 $3\times2\times1=6$(가지), 모두 같은 것을 내어서 비기는 경우가 3가지이므로 이를 제외하면 한 사람이라도 이기는 경우는 27-6-3=18(가지)입니다.

04

[정답] 4

[풀이]

㉠과 ㉡은 넓이가 같으므로 사각형의 넓이에서 ㉠을 빼고, 삼각형의 넓이에서 ㉡을 빼도 두 도형의 넓이의 차는 변함없습니다. 사각형과 삼각형의 넓이의 차가 14-10=4이므로 ㉢ 부분과 ㉣ 부분의 차도 4가 됩니다.

TOP 사고력 쑥쑥

81쪽

1. 간격의 개수와 길이

01

[정답] 8그루

[풀이]

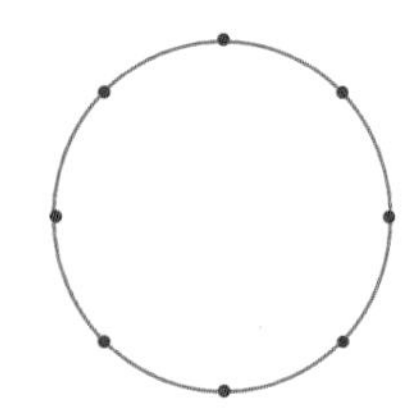

30×8=240이므로 8그루의 나무가 필요합니다.

02

[정답] 9번

[풀이]

5 cm씩 자르면 10조각이 됩니다. 조각의 개수는 간격의 개수보다 1개 더 많으므로 9번을 자르면 10조각이 됩니다.

82쪽

03

[정답] 16조각

[풀이]

1장을 3번 자르면 4조각이 됩니다. 종이가 4장이므로 16조각이 됩니다.

04

[정답] 5장

[풀이]

1장을 5번 자르면 6조각이 됩니다. 몇 장을 겹쳐 자르니 30조각이 됐으므로 6조각이 5묶음 나온 것을 알 수 있습니다. 따라서 처음에 있던 색종이는 5장입니다.

83쪽

05

[정답] 8번

[풀이]

가로는 36 cm이므로 6 cm씩 6조각이 되므로 5번 잘라야 합니다. 세로는 24 cm이므로 6 cm씩 4조각이 되므로 3번 잘라야 합니다. 따라서 5+3=8(번) 잘라야 합니다.

06

[정답] 12개

[풀이]

빨간색 점의 간격 개수는 22개입니다. 검은색 점의 간격 1개는 빨간색 점의 간격 2개와 같으므로 검은색 점의 간격 개수는 11개입니다. 점의 개수는 간격 개수보다 1개 더 많아야 하므로 검은색 점의 개수는 12개입니다.

84쪽

07

[정답] 90초

[풀이]

1층에서 3층까지 가려면 2개의 층을 올라야 하므로 수린이는 1개의 층을 15초에 오를 수 있습니다. 1층에서 7층까지 6개의 층을 올라야 하므로 15×6=90(초)가 걸립니다.

08

[정답] 7층

[풀이]

2분동안 유영이는 2개의 층을 올랐고 준서는 4개의 층을 올랐습니다. 따라서 유영이가 1개의 층을 오르는 데 걸리는 시간은 1분이고 준서는 30초입니다. 유영이가 4층까지 가려면 3개의 층을 올라야 하므로 3분이 걸리는데, 준서는 3분동안 6개의 층을 오를 수 있으므로 7층까지 가게 됩니다.

85쪽

09

[정답] 1시간 35분(95분)

[풀이]

1쿼터부터 4쿼터까지 쉬는 시간이 세 번 있으므로
경기 시간은 20×4=80(분), 쉬는 시간은 5×3=15(분), 1쿼터부터 4쿼터가 끝날 때까지 걸리는 시간은 80+15=95(분)입니다.

10

[정답] 42 cm

[풀이]

길이가 7 cm인 띠 8개를 겹쳐지지 않게 붙이면 56 cm입니다. 겹쳐지는 부분 1개마다 2 cm씩 줄어들고 겹쳐지는 부분의 개수가 7개이므로 $2\times7=14$(cm)입니다. 따라서 전체의 길이는 $56-14=42$(cm)가 됩니다.

86쪽

11

[정답] 10 cm

[풀이]

우표를 간격없이 겹쳐지지 않도록 한 줄로 놓으면 전체 길이는 210 cm입니다. 우표가 7장이므로 간격의 개수는 6개이고 간격이 없을 때보다 60 cm가 길어졌으므로 간격의 길이는 10 cm씩 됩니다.

12

[정답] 7개

[풀이]

블록이 겹쳐지는 부분이 2 cm이므로 처음에 놓인 블록 5cm에 하나씩 놓을 때마다 3 cm가 늘어나게 됩니다.

$23-5-3-3-\cdots=0$이 되는 3의 개수는 6개입니다. 처음에 놓은 5 cm짜리 한 개를 더하면 전체 블록 개수는 7개입니다.

87쪽

13

[정답] 1380 cm

[풀이]

가로 줄의 의자 개수는 6개, 간격 개수는 5개이므로

(가로의 길이)$=20\times6+30\times5=120+150=270$(cm)

세로 줄의 의자 개수는 9개, 간격 개수는 8개이므로

(세로의 길이)$=20\times9+30\times8=180+240=420$(cm)

따라서 둘레는 $270+270+420+420=1380$(cm)입니다.

14

[정답] 180 cm

[풀이]

색종이를 겹쳐지지 않도록 붙이면 가로의 길이는 110 cm입니다. 한 번 겹쳐질 때마다 3 cm씩 줄어들고 겹쳐진 부분의 개수가 10개이므로 겹쳐진 후 가로의 길이는 $110-30=80$(cm)입니다. 세로의 길이는 변하지 않으므로 둘레는 다음과 같습니다. (색종이의 둘레)$=80+80+10+10=180$(cm)

88쪽

15

[정답] 32개

[풀이]

○모양이 가로 방향으로 5줄 있으므로 간격의 개수는 4줄, 세로 방향으로 9줄 있으므로 간격의 개수는 8줄입니다. 따라서 ✦모양의 개수는 $4\times8=32$(개)입니다.

16

[정답] 7번째 날

[풀이]

달팽이는 매일 3 m씩 더 올라갑니다. 1번째 날 5 m 오르고 그 다음 날부터 하루에 3 m씩 오르기 때문에 7번째 날 23 m까지 올라가 우물을 빠져나올 수 있습니다.

89쪽

2. 거꾸로 해결하기

01

[정답] 7

[풀이]

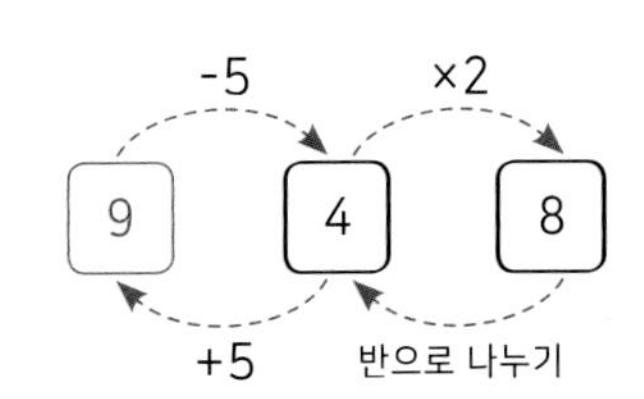

잘못 계산한 것을 거꾸로 계산하면 어떤 수가 9임을 알 수 있습니다. 따라서 바르게 계산하면 14(=9+5)를 반으로 나눈 7입니다.

02

[정답] 17개

[풀이]

잘못 계산한 것을 거꾸로 계산하면 $11-4+7=14$(개)이므로 상자에 있던 구슬의 개수는 14개임을 알 수 있습니다. 처음 생각대로 구슬을 넣고 꺼내면 $14+7-4=17$(개)입니다.

90쪽

03

[정답] 9

[풀이]

상자의 규칙을 거꾸로 하면 2를 곱한 후 1을 빼는 규칙이 됩니다. 이를 두 번 적용하면 3→5→9이므로 어떤 수는 9입니다.

04

[정답] 1

[풀이]

초록색 상자의 규칙을 거꾸로 하면 5를 더하고 2를 빼는 규칙이 되므로 3을 더하는 것과 같습니다. 이 규칙을 이용하여 어떤 수를 구하면 4+3+3=10이므로 어떤 수는 10입니다. 10을 노란색 상자에 두 번 넣으면 10→4→1입니다.

91쪽

05

[정답] 9개

[풀이]

각 자리 숫자를 더하여 1이 나오는 두 자리 수는 10입니다. 각 자리 숫자를 더하여 10이 나오는 두 자리 수는 19, 91, 28, 82, 37, 73, 46, 64, 55이므로 9개입니다.

06

[정답] 18

[풀이]

4에서 2를 빼면 2인데 각 자리 숫자를 더하여 2가 되는 수는 11과 20입니다. 같은 규칙으로 20의 전 단계 수를 구하면 99, 11의 전 단계 수를 구하면 18, 81, 27, 72, 36, 63, 45, 54입니다.

92쪽

07

[정답] 24개

[풀이]

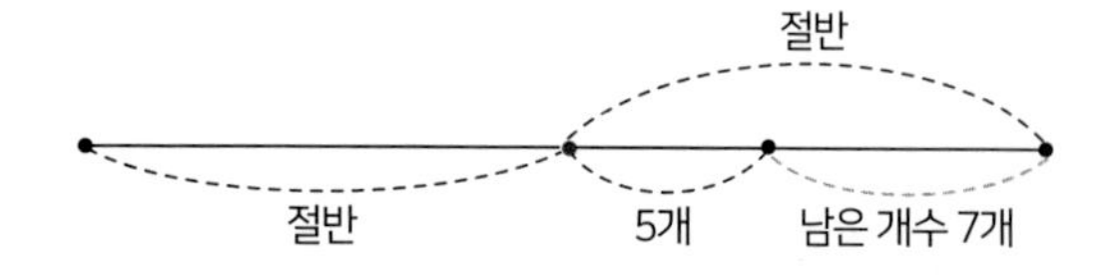

08

[정답] 1100 mL

[풀이]

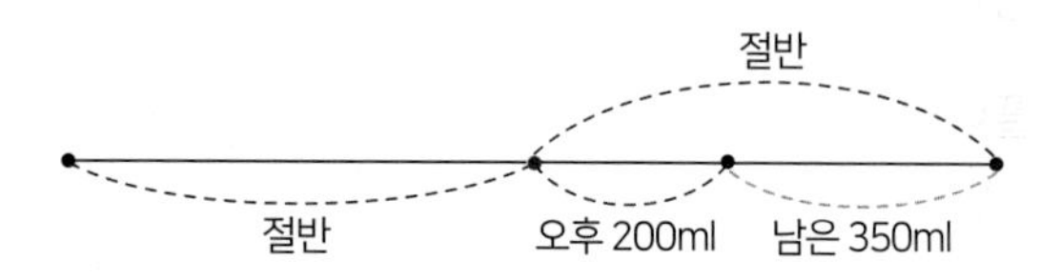

93쪽

09

[정답] 15개

[풀이]

	지윤	수아
사탕을 옮기기 전	15개	5개
①번 방법대로 옮긴 후	8개	12개
②번 방법대로 옮긴 후	10개	10개

10

[정답] 24권

[풀이]

	수현	철우
책을 주기 전	24권	10권
수한이가 책을 준 후	14권	20권
철우가 책을 준 후	17권	17권

94쪽

11

[정답] 2개

[풀이]

이기기 위해서 반드시 가져가야 하는 구슬의 번호를 거꾸로 생각해 보면 11번, 8번, 5번, 2번 구슬을 가져가야 하므로 처음에 2개를 가져가면 됩니다.

12

[정답] 2개

[풀이]

이기기 위해서 반드시 칠해야 하는 칸의 번호를 거꾸로 생각해 보면 18번, 14번, 10번, 6번, 2번 칸을 칠해야 하므로 처음에 2개의 칸을 칠하면 됩니다.

95쪽

13

[정답] 먼저 하는 사람

[풀이]

이기기 위해서 반드시 표시해야 하는 날짜를 거꾸로 생각해 보면 31일, 28일, 25일, 22일, 19일, 16일, 13일, 10일, 7일, 4일, 1일에 표시해야 하므로 먼저 하는 사람이 1일에 표시하면 반드시 이깁니다.

14

[정답] ㉡조각

[풀이]

이기기 위해서 반드시 채워야 하는 번호를 거꾸로 생각해 보면 11번, 8번, 5번, 2번칸에 채워야 하므로 처음에 ㉡조각을 사용해야 합니다.

96쪽

15

[정답] ㉢조각

[풀이]

이기기 위해서 반드시 채워야 하는 번호를 거꾸로 생각해 보면 35, 31, 27, 23, 19, 15, 11, 7, 3번칸에 채워야 하므로 처음에 ㉢조각을 사용해야 합니다.

16

[정답] 2개

[풀이]

쌓기나무가 한 줄로 놓여 있다고 생각해 봅시다. 이기기 위해서 반드시 가져가야 하는 쌓기나무를 거꾸로 생각해 보면 22번째, 17번째, 12번째, 7번째, 2번째 쌓기나무를 가져가야 하므로 처음에 두 개의 쌓기나무를 가져가야 합니다.

97쪽

3. 차 탐구

01

[정답] 긴 막대 : 25 cm, 짧은 막대 : 11 cm

[풀이]

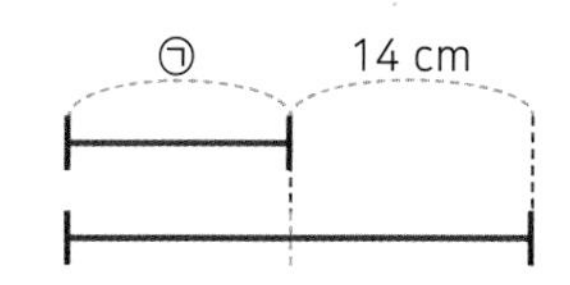

짧은 막대의 길이를 ㉠이라 하면, (긴 막대의 길이)-14=㉠이고 막대 전체의 길이는 36이므로 36-14=22=㉠+㉠입니다. 따라서 ㉠=11입니다.

02

[정답] 42 cm

[풀이]

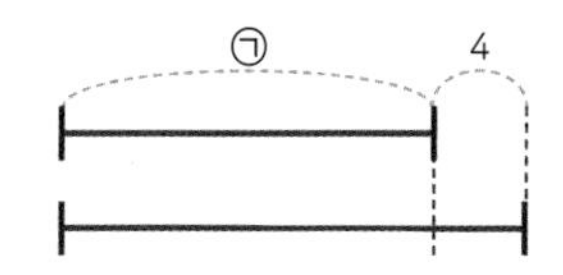

짧은 막대의 길이를 ㉠이라 하면, (긴 막대의 길이)-4=㉠이고 두 막대 길이의 합은 88이므로 88-4=84=㉠+㉠입니다. 따라서 ㉠=42입니다.

98쪽

03

[정답] 9개

[풀이]

초록색 상자에 10개의 사탕을 먼저 넣으면 18개의 사탕이 남습니다. 남은 사탕을 9개씩 나누어 담으면 초록색 상자에는 10개의 사탕이 더 들어 있게 됩니다.

04

[정답] 600 g

[풀이]

(주스 절반의 무게)=2400-1500=900(g)입니다. 주스가 절반 담겨 있는 컵의 무게에서 주스의 무게를 빼면 컵의 무게를 구할 수 있으므로 1500-900=600(g)입니다.

99쪽

05

[정답] 100원

[풀이]

딸기 2개, 바나나 3개를 사면 3200원인데 바나나 1개를 더 사면 딸기 2개, 바나나 4개가 되고 4200원이므로 바나나 1개는 1000원입니다. 따라서 딸기 1개는 100원입니다.

06

[정답] 300원

[풀이]

인형 1개, 장난감 2개에서 장난감 2개대신 공책 2개로 바꾸면 2000원이 더 비싸집니다. 장난감 2개와 공책 2개의 가격 차이가 2000원이므로 장난감 1개와 공책 1개의 가격 차이는 1000원입니다. 장난감 가격이 공책 가격의 두 배이므로 공책 1개의 가격은 1000원, 장난감 1개의 가격은 2000원입니다. 인형 1개와 장난감 2개의 가격이 4300원이므로 인형은 300원입니다.

100쪽

07

[정답] 6점

[풀이]

노란색 2발, 파란색 1발이 16점인데 노란색 1발을 파란색으로 바꾸면 14점이 되므로 노란색과 파란색의 차이는 2점이 됩니다. 만약 3발 모두 노란색이라면 18점이 되므로 노란색 부분은 6점이 됩니다.

08

[정답] 4 cm

[풀이]

연필 3개와 지우개 2개에서 연필 2개를 지우개 2개로 바꾸면 8 cm가 짧아집니다. 따라서 연필 1개와 지우개 1개의 차이는 4 cm가 됩니다.

101쪽

09

[정답] 7

[풀이]

첫 번째 식의 귤 1개를 사과 1개로 바꾸면 4가 커집니다. 두 번째 식의 귤 1개도 사과 1개로 바꾸면 28이 되므로 사과 1개는 7이 됩니다.

10

[정답] 3

[풀이]

초록 묶음의 ◆ 3개를 ▲ 3개로 바꾸면 3이 커지므로 ▲가 1 더 큽니다. 빨간 묶음의 ◆ 2개를 ▲ 2개로 바꾸면 ▲ 6개가 되고 합은 18이 됩니다. 따라서 ▲ 1개는 3입니다.

102쪽

11

[정답] 12, 12, 12

[풀이]

표 안의 모든 모양의 합은 8+10+11+7=36입니다. 표 안에 각 모양이 3개씩 있으므로 ■+◆+●+▲=12입니다.

12

[정답] 4

[풀이]

표 안의 모든 모양의 합은 16+14+12+18=60입니다. 표 안에 각 모양이 3개씩 있으므로 가로 한 줄의 합인 ☆+◆+♡+♣는 20이 되고 ☆+♣+♡=16이므로 ◆=4가 됩니다.

103쪽

13

[정답] 300 g

[풀이]

70 g짜리 추를 사용할 때와 40 g짜리 추를 사용할 때, 120 g 차이가 나고 각각의 추는 서로 30 g 차이가 나므로 4개의 추가 사용된 것을 알 수 있습니다. (책의 무게)=70×4+20=300(g)

14

[정답] 4100원

[풀이]

오이를 살 때와 감자를 살 때의 가격 차이는 2100원입니다. 오이 1개와 감자 1개의 가격 차이는 300원이므로 7개를 구매해야 2100원의 차이가 나게 됩니다.

(지은이가 모은 돈)=500×7+600=4100(원)

104쪽

15

[정답] 41 cm

[풀이]

6 cm 연필을 사용했을 때와 8 cm 연필을 사용했을 때, 길이의 차이는 12 cm입니다. 각각의 연필은 2 cm만큼 차이가 나므로 사용된 연필의 개수는 6개입니다.

(책상의 길이)=6×6+5=41(cm)

16

[정답] 11개

[풀이]

과자를 3개씩 담을 때와 4개씩 담을 때, 과자 개수의 차이는 3개이고 한 상자에 담는 과자 개수의 차이는 1개이므로 상자의 개수는 3개입니다.

(과자의 개수)=3×3+2=11(개)

105쪽

4. 포함과 배제

01

[정답] 23명

[풀이]

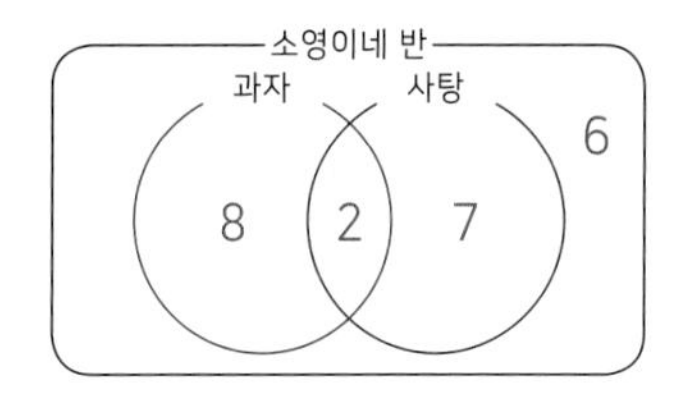

02

[정답] 14개

[풀이]

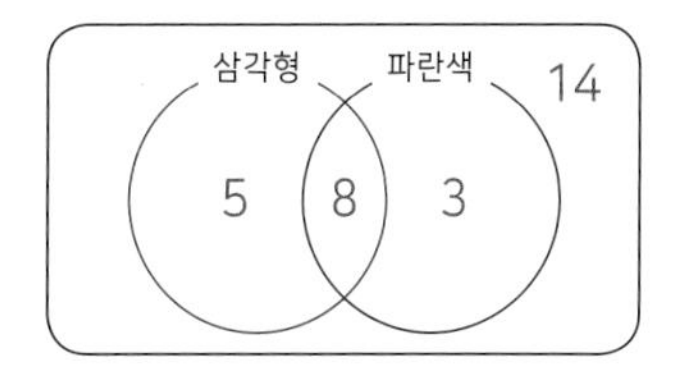

106쪽

03

[정답] 5개

[풀이]

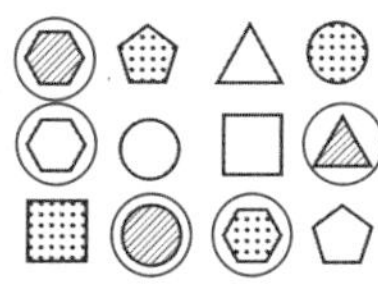

04

[정답] 10개

[풀이]

4의 배수 : 4, 8, 12, 16, 20, 24, 28

7의 배수 : 7, 14, 21, 28

28은 4의 배수이면서 7의 배수이므로 한 번만 셉니다.

107쪽

05

[정답] 8

[풀이]

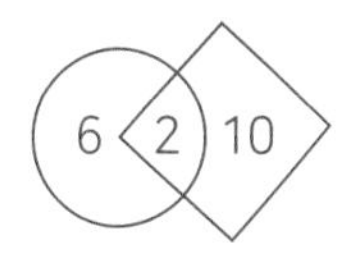

06

[정답] 10

[풀이]

(사각형 3개의 넓이)

=(겹쳐진 도형의 넓이)+(겹쳐진 부분의 넓이)=22+8=30

30을 3등분하면 10이므로 사각형 1개의 넓이는 10입니다.

108쪽

07

[정답] 10

[풀이]

(삼각형과 사각형의 넓이의 합)

=(겹쳐진 도형의 넓이)+(겹쳐진 부분의 넓이)=28+2=30

사각형의 넓이는 삼각형의 두 배이므로 사각형의 넓이가 20이고 삼각형의 넓이는 10입니다.

08

[정답] 36

[풀이]

□-△는 빨간색 원 안에 있는 수 중에서 파란색 원 안에 있는 수를 제외한 수들의 합이므로 3+7+11+15=36입니다.

109쪽

09

[정답] 4

[풀이]

㉠과 ㉡의 차는 빨간색 원과 파란색 원이 겹쳐지는 부분에 있는 수를 제외하고 남은 수들의 차입니다.

(㉠과 ㉡의 차)=(10+4)-(1+9)=4

10

[정답] 7

[풀이]

㉠과 ㉡의 차는 분홍색 원에 있는 수를 제외하고 남은 수들의 차입니다.

(㉠과 ㉡의 차)

=(초록색 원 안의 수) - (분홍색 사각형 안의 수)

=(7+4+2)-(1+3+2)=7

110쪽

11

[정답] 89번

[풀이]

시각을 표시하는 방법의 수는 9시 00분부터 9시 59분까지는 60가지, 10시 00분부터 10시 30분까지는 31가지이므로 9시부터 10시 30분까지는 91가지입니다. 이 중에서 시와 분이 같은 때는 9시 9분과 10시 10분 2가지 경우가 있으므로 시와 분이 다른 경우는 91-2=89(번)입니다.

12

[정답] 118일

[풀이]

9월과 11월은 30일, 10월과 12월은 31일까지 있으므로 9월부터 12월까지 122일이 있습니다. 이 중에서 월과 일이 같은 날은 9월 9일, 10월 10일, 11월 11일, 12월 12일이므로 월과 일이 다른 날의 개수는 122-4=118(일)입니다.

111쪽

13

[정답] 5가지

[풀이]

연필과 지우개를 1개씩 사는 서로 다른 방법은 3×3=9(가지)입니다. 4B 연필과 세모 지우개 둘 다 사지 않는 방법은 2×2=4(가지)이므로 4B 연필과 세모 지우개 둘 중 적어도 한 개는 포함될 수 있도록 사는 방법은 9-4=5(가지)입니다.

14

[정답] 8가지

[풀이]

승호네 집까지 가는 모든 방법은 4×5=20(가지)입니다. 이 중에서 빨간색 길을 지나지 않고 가는 방법은 3×4=12(가지)이므로 적어도 하나의 빨간색 길을 들러 승호네 집으로 가는 방법은 20-12=8(가지)입니다.

112쪽

15

[정답] 19가지

[풀이]

선을 그리는 모든 방법은 3×3×3=27(가지)입니다. 곱셈식에 적어도 한 개의 2가 들어가면 곱한 값은 짝수가 됩니다. 2를 한 번도 지나지 않고 선을 그리는 방법은 2×2×2=8(가지)이므로 식의 값이 짝수가 되는 경우는 27-8=19(가지)입니다.

16

[정답] 7가지

[풀이]

전체 경우는 8가지이고 당첨되지 않는 경우는 세 동전이 모두 앞면이 나오는 1가지 경우밖에 없으므로 당첨되는 경우는 8-1=7(가지)입니다.

MEMO

MEMO

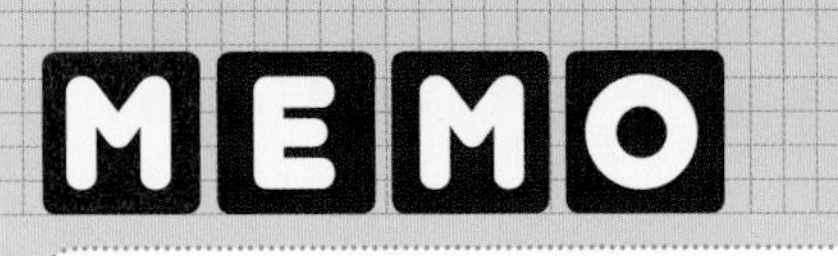